PETIT COURS

D'APICULTURE

PRATIQUE

PAR CH. DADANT

Membre honoraire de la Société centrale d'Apiculture de Milan
(Italie), de la Société d'Apiculture de la Gironde, etc.

*Savoir ce qu'il faut faire et le faire
à propos*

SAMUEL WAGNER

CHAUMONT

Typographie veuve Miot-Dadant

1874

PETIT COURS

D'APICULTURE

PRATIQUE

PAR CH. DADANT

Membre honoraire de la Société centrale d'Apiculture de Milan

(Italie), de la Société d'Apiculture de la Gironde, etc.

—∽∾∽—

> Savoir ce qu'il faut faire et le faire
> à propos.
>
> SAMUEL WAGNER.

—◆◇◆◇◆—

CHAUMONT

Typographie veuve Miot-Dadant

—

1874

PETIT COURS

D'APICULTURE

PRATIQUE

AVANT-PROPOS

Quoique ce livre ait été plus spécialement écrit pour les apiculteurs à rayons mobiles, cependant les propriétaires de ruches communes y trouveront un grand nombre d'idées qui ne sont écrites nulle part ailleurs, et dont plusieurs leur montreront de nouveaux moyens de réussite, en leur expliquant beaucoup de choses qui leur ont paru obscures jusqu'à présent. L'auteur a cherché à éliminer de ce petit traité toutes les notions fausses qui ont, jusqu'à ce jour, eu cours en apiculture, et que la plupart des auteurs ont entretenues, sans se donner la peine de les vérifier. Il s'est appliqué à ne rien écrire que ce qu'il a reconnu vrai expérimentalement. Et il est persuadé que tout possesseur d'abeilles. n'eût-il qu'une ou deux ruchées, regagnera au centuple, par les renseignements qu'il trouvera dans ce petit volume, le déboursé qu'il aura fait pour se le procurer.

TABLE DES MATIÈRES

PAR PARAGRAPHES

Chapitre Ier. — Habitants d'une ruche.

Chapitre II. — Constructions des abeilles.

Chapitre III. — Matières récoltées par les abeilles.

Chapitre IV. — Reproduction des abeilles, parthénogénèse.

Chapitre V. — Élève du couvain.

Chapitre VI. — Essaimage naturel.

Chapitre VII. — Essaimage artificiel,

Chapitre VIII. — Abeilles italiennes.

Chapitre XIV. — Les ruches.

Chapitre XV. — Transvasement des ruchées.

Chapitre XVI. — Mélextracteur ou smélateur.

Chapitre XVII. — Récolte des boîtes de surplus.

Chapitre XVIII. — Nourrissage des abeilles.

Chapitre XIX. — Rucher.

Chapitre XX. — Soins à donner en hiver.

Chapitre XXI. — Soins à donner au printemps.

Chapitre XXII. — Soins à donner en été.

Chapitre XXIII. — Soins à donner en automne.

Chapitre XXIV. — Soins à donner au miel
et ses usages.

Chapitre XXV. — Extraction de la cire.

Chapitre XXVI. — Remarques, pièces à l'appui,
cultures spéciales.

PETIT COURS

D'APICULTURE PRATIQUE

CHAPITRE I.

Habitants d'une ruche.

§ 1. Une colonie d'abeilles se compose d'une reine, ou mère fertile ; de milliers d'abeilles ouvrières, et, à certaines époques de l'année, de quelques centaines de mâles.

La reine ou mère.

§ 2. La reine ou mère est la seule femelle complète de la ruchée. Sa seule fonction paraît être de pondre, et elle s'acquitte si bien de cette tâche, qu'il n'est pas rare de trouver des mères qui déposent plus de trois mille œufs, dans un seul jour, pendant plusieurs semaines de suite.

§ 3. Elle est plus longue que les ouvrières et moins grosse que les mâles. Sur son abdomen, allongé en fuseau, les ailes paraissent courtes, ce qui la fait aisément recon-

2

naître. Elle est en général d'une nuance un peu plus claire que les ouvrières, et les pattes, qui paraissent plus longues que celles des ouvrières, ne sont pas munies des corbeilles dans lesquelles celles-ci rapportent le pollen ; sa trompe, plus courte, ne pourrait sucer le miel dans les fleurs ; son aiguillon, recourbé en dedans, ne peut piquer que ses rivales ; aussi l'apiculteur peut la prendre sans crainte avec les doigts.

§ 4. L'œuf qui produit une reine abeille ne diffère en rien des œufs d'où sortent les ouvrières ; la différence qui existe entre la femelle complète (reine) et les femelles imparfaites (ouvrières), provenant de la cellule plus grande où a été élevée la reine et de la nourriture plus sucrée et plus élaborée qui lui a été plus libéralement donnée.

§ 5. L'œuf qui doit se développer en reine met, comme celui des autres sortes d'abeilles dont se compose la ruchée, trois jours à éclore. Le ver qui en sort reste six jours à l'état de larve ; puis il reste sept jours à se transformer en chrysalide et en insecte parfait ; seize jours en tout. Mais ces périodes peuvent varier en longueur, suivant la température et les soins.

§ 6. La jeune femelle sort de la ruche de cinq à six jours après sa naissance, plus ou moins, si la température le lui permet, pour aller à la rencontre d'un mâle, avec lequel elle puisse s'accoupler. Sa sortie a lieu le plus souvent vers midi. L'accouplement se fait toujours hors de la ruche. Elle rentre ensuite, emportant avec elle les organes du mâle qu'elle a arrachés. Aussitôt rentrée, elle s'en débarrasse ; puis, au plutôt vingt-quatre heures, le plus souvent quarante-huit heures et quelquefois une ou deux semaines seulement après, elle commence à pondre.

§ 7. Un seul accouplement suffit à une reine pour toute sa vie. Après cet accouplement, elle ne quitte plus la ruche, excepté pour accompagner un essaim.

§ 8. Deux mères fécondes ne peuvent exister en même temps dans la même ruche. Cette règle a peu d'exceptions.

§ 9. Une mère abeille peut vivre pendant cinq ans ; mais comme sa fécondité décroit, à partir de sa troisième année, l'apiculteur a tout intérêt à la remplacer par une jeune dès qu'elle a atteint cet âge.

§ 10. Quand la mère d'une colonie disparaît, soit par la mort, soit autrement, la colonie éprouve le plus grand trouble. Ce trouble est surtout visible le soir de la perte et le lendemain. Dès que les apprêts ont été faits pour la remplacer, la ruchée reprend ses travaux. Mais il est à remarquer que si elle a des constructions à faire, elle ne bâtit que des cellules de mâles pendant tout le temps qu'elle est privée de mère pondante.

Les ouvrières.

§ 11. Les ouvrières sont les plus petits habitants d'une ruche et forment la plus grande partie de sa population. Leurs fonctions sont très variées. Jeunes, elles s'occupent des soins intérieurs de la ruche ; préparent et distribuent la nourriture des larves ; soignent la mère en la brossant et la nourrissant ; entretiennent la chaleur de la ruche ; la nettoient de toutes les immondices ou des cadavres des abeilles mortes ; la ventilent pour renouveler l'air et évaporer le miel fraîchement récolté ; gardent l'entrée contre leurs ennemis ou contre d'autres abeilles qui pourraient s'y introduire comme pillardes ; fabriquent la cire et font les édifices ou les réparent, etc. Plus vieilles, elles s'occupent encore à l'occasion des mêmes soins ; mais leur principale besogne est d'aller à la récolte du miel et du pollen qui servent à la nourriture commune, et de la propolis, avec laquelle la population bouche toutes les fentes ou crevasses de son habitation ; elles vont aussi chercher de l'eau pour délayer la bouillie des larves, etc.

§ 12. Une toute jeune abeille est facile à reconnaître à sa couleur grise et à sa petitesse. Peu de jours après sa naissance, elle est plus grosse que les abeilles butineuses plus âgées.

§ 13. La jeune abeille ne sort de la ruche pour la première fois que sept ou huit jours après sa naissance, pour une excursion de propreté. Elle choisit l'après-midi d'un beau jour. Tout en sortant, elle se retourne et décrit autour de la ruche des cercles qu'elle agrandit successivement pour reconnaître la localité où elle habite. Sa seconde sortie de propreté a lieu sept ou huit jours après. Cette fois, si le temps le permet, elle va à la récolte, d'où elle revient sans se tromper de chemin ; à partir de ce moment, elle ne s'occupe plus des soins intérieurs que quand elle y est forcée par l'insuffisance d'abeilles plus jeunes pour se charger de ces soins.

§ 14. Les abeilles d'une ruchée s'entendent très bien pour toutes les opérations nécessaires au bien-être de la colonie ; et elles les exécutent avec un entrain, une unité qu'on ne saurait trop admirer.

§ 15. Toutes les abeilles d'une ruchée semblent se connaître ; car il est rare que lorsqu'une d'elles rentre dans sa ruche, elle soit arrêtée par les gardiennes. On pense que c'est l'odeur, communiquée à la ruchée par la mère, qui les met en état de distinguer une étrangère qui se serait introduite parmi elles.

§ 16. Quand quelque chose d'inusité arrive à la colonie, les abeilles indiquent leurs craintes par une vibration d'ailes produisant un son qu'on a nommé bruissement. Ce mouvement d'ailes est une manière d'exprimer leurs sensations, de s'appeler, de prouver le plaisir qu'elles éprouvent en retrouvant leur ruche ou leurs compagnes. C'est encore le moyen employé pour échauffer la ruche, lorsque la température est trop basse, etc.

§ 17. Les ouvrières sont des femelles dont les organes reproducteurs sont avortés au profit des instruments du travail. Elles possèdent des ovaires cependant, mais très peu développés, ne contenant qu'un petit nombre d'œufs qu'elles peuvent pondre en certaines circonstances ; mais ces œufs ne produisent jamais que des mâles.

§ 18. Elles sont armées d'un aiguillon dont elles se servent pour défendre leur habitation.

§ 19. L'œuf qui doit former une ouvrière met environ vingt et un jours et demi à se transformer en insecte parfait.

§ 20. Les ouvrières ne voient jamais leur anniversaire, sauf dans des cas très rares et tout-à-fait exceptionnels, la durée extrême de leur vie étant au plus de dix mois quand elles sont nées en août, et n'excédant souvent pas deux mois quand elles ont vu le jour en mai, le repos de l'hiver prolongeant la durée de leur vie et le travail de l'été l'abrégeant. La moyenne de leur vie ne dépasse donc pas 150 jours en hiver et 35 jours, ou moins, pendant la saison du travail, § 344.

Mâles.

§ 21. Les mâles, qu'on nomme aussi faux-bourdons, sont plus longs et plus gros que les ouvrières. On les voit sortir des ruches pour aller se promener, de midi à trois heures, dans la belle saison. Ils vont à la recherche des femelles à féconder. Ils sont incapables de pourvoir à leur subsistance et n'ont pas d'aiguillons.

§ 22. Ils sont nombreux dans les ruches qu'on abandonne à elles-mêmes, mais c'est au détriment du bénéfice de l'apiculteur ; car, gros mangeurs, ils coûtent beaucoup de miel, tant pour leur croissance que pour leur entretien. La nature, en les créant nombreux, a voulu que la jeune reine à féconder en rencontre aisément ; car sa vie est exposée dans ses courses, et c'est d'elle que dépend l'existence de la colonie.

§ 23. Dans une ruche bien tenue, on a le soin d'empêcher leur multiplication ; et au lieu de laisser chaque ruchée en élever des milliers, comme cela a lieu par l'ancienne méthode, on n'en laisse pondre que quelques douzaines par ruche, ce qui, dans un rucher de dix ruches, est bien suffisant pour les besoins de la reproduction.

§ 24. Dans les conditions normales, une mère ne pond des mâles que pendant la bonne saison, et leur existence est courte ; aussitôt que la récolte cesse pour quelques jours, ils sont sacrifiés par les abeilles.

§ 25. L'œuf qui produit un mâle met vingt-cinq jours environ à devenir insecte parfait.

CHAPITRE II.

Constructions des abeilles.

La cire.

§ 26. La cire est une substance ferme, grasse, demi-transparente, avec laquelle les abeilles construisent leurs rayons.

§ 27. La cire est en quelque sorte la graisse des abeilles. Elle est formée chez elles, comme la graisse chez les animaux, par la digestion de la nourriture ; et elle est plus ou moins abondante, suivant que les abeilles mangent plus ou moins.

§ 28. Elle se produit entre les anneaux de leur abdomen, où les abeilles la prennent pour en construire les rayons pendant qu'elle est encore chaude et malléable.

§ 29. La cire coûte beaucoup de miel aux abeilles. D'après quelques expériences, chaque gramme de cire ne coûte pas moins de dix grammes de miel, et dans certaines circonstances, bien davantage encore, § 346.

§ 30. Les rayons de cire ne servent pas seulement à élever le couvain, mais encore à loger les provisions, miel et pollen. Or, on comprendra aisément que lorsque la récolte du miel est abondante, si les rayons vides manquent pour la recevoir, la perte peut être considérable, en attendant que de nouvelles cellules soient construites ; car on a calculé qu'il ne faut pas moins de vingt-quatre heures

pour que le miel qu'une abeille a mangé soit transformé
en cire. Il est donc de la plus grande importance pour
l'apiculteur de ne diminuer la grandeur des bâtisses d'une
ruche que lorsqu'il y a absolue nécessité.

§ 31. De là, condamnation de l'habitude ancienne de
tailler les rayons de cire au printemps ; car, par cette
taille, non-seulement on force les abeilles à dépenser du
miel pour la reconstruction, mais encore on peut diminuer la ponte de la mère faute de place pour recevoir ses
œufs. La seule taille qu'on doive se permettre, c'est d'enlever les bouts de rayons qui seraient pourris ou verts de
moisissure. Quand ils ne sont que blancs de moisissure,
les abeilles les nettoient très bien et ils sont ensuite aussi
bons que des neufs. On doit cependant supprimer tous les
rayons à cellules de mâles qui se trouveraient dans la
chambre à couvain.

§ 32. Les abeilles construisent trois sortes d'alvéoles.
Les cellules à ouvrières sont les plus petites. Dans une
ruche ordinaire, en bon état, elles occupent les cinq
sixièmes de la capacité totale. Dans la culture perfection-
née, ces cellules doivent occuper toute la ruche, à moins
que l'apiculteur ne juge de son intérêt d'augmenter le
nombre de cellules de mâles. Celles-ci sont plus grandes
que les alvéoles d'ouvrières, car il faut 850 cellules d'ouvrières pour garnir des deux côtés un rayon de dix centimètres carrés, tandis qu'il ne faut que 530 cellules de
mâles. La troisième sorte de cellules est moins nombreuse
dans la ruche, ce sont les cellules où les abeilles élèvent
les reines. Elles sont, la plupart du temps, sur la tranche
du rayon et ont leur ouverture en bas. Ce sont les plus
grandes de toutes ; elles ressemblent à des glands.

§ 33. Les rayons sont construits habituellement par les abeilles de haut en bas. Chaque rayon d'ouvrières est éloigné de son voisin, de centre à centre, de trente-six millimètres. Cependant, un écartement légèrement plus grand ne nuit pas, car je me trouve bien de placer mes rayons à trente-huit millimètres l'un de l'autre, de centre à centre ; la ruche a plus d'air, les abeilles ont plus d'espace pour circuler, pour se grouper, et pour ces raisons essaiment moins.

§ 34. Les rayons nouvellement construits sont blancs. A mesure que les abeilles y élèvent du couvain, ils brunissent et deviennent noirs ou brun foncé au bout de quelques années ; mais ils sont aussi bons que plus jeunes. J'ai connu une ruchée qui prospérait quoique ayant des rayons âgés de plus de vingt ans. J'en ai dans mon rucher qui ont quinze ans et qui sont aussi bons que de plus jeunes.

§ 35. Les rayons nouvellement construits, par un essaim qu'on vient de recueillir, sont toujours à cellules d'ouvrières. Plus tard, lorsque la population a grandi et que la récolte est abondante, les abeilles construisent des cellules plus larges pour y élever des mâles et pour loger les provisions.

§ 36. Tous ces rayons sont parallèles ; cependant parfois, quand l'essaim est fort, les constructions sont commencées dans deux endroits différents à la fois ; il en résulte des irrégularités. De même quand les bâtisses sont déjà grandes, il arrive souvent que les abeilles prolongent la longueur des cellules qui reçoivent la récolte ; ce qui détruit, pour cette partie des constructions, le parallélisme des rayons.

§ 37. Dans la culture des abeilles au moyen de la ruche à cadres, on doit chercher à obtenir que les abeilles ne construisent que des rayons bien parallèles, toujours droits et tout-à-fait au milieu des cadres. On emploie divers moyens pour y arriver. Le plus simple consiste à clouer une planchette de bois dur bien uni de chêne ou noyer, sur une planche ou une table ; cette planchette doit avoir exactement l'épaisseur de la moitié de la largeur de la latte du cadre (onze millimètres si la latte en a vingt-deux) et elle doit avoir en longueur un centimètre environ de moins que la longueur intérieure du cadre ; on fait fondre de la cire à laquelle on ajoute un dixième de saindoux ou de résine, on mouille bien la planchette ; on place le cadre à plat, de manière à ce que sa latte supérieure s'appuie contre la tranche de la planchette ; puis, avec un petit pinceau on met une couche de cire à l'angle formé par la planchette et la latte du cadre. On attend quelques secondes pour relever le cadre, et on a obtenu une bande de cire tout le long de la planchette supérieure du cadre, intérieurement, que les abeilles suivront aussi bien que les bandes de rayons qu'on aurait pu y coller comme les auteurs d'apiculture l'indiquent. On doit mouiller la planchette à chaque opération.

§ 38. On peut encore arriver à faire construire aux abeilles des rayons réguliers dans les cadres, si on leur donne des cadres déjà construits pour les guider. On conçoit que si elles ont à bâtir entre deux rayons fixés à la distance voulue, elles ne pourront faire autrement que de bâtir droit. On devra toujours employer ce moyen quand ce sera possible.

§ 39. Les abeilles construisent leurs rayons avec tant

d'économie, que les bâtisses d'une ruche de 36 litres ne rendent à la fonte que neuf cents grammes de cire environ. Or, comme ces bâtisses ont coûté au moins neuf kilogrammes de miel, valant 12 à 14 fr., sans compter le temps perdu, et comme les neuf cents grammes de cire ne valent que moins de 4 fr., on reconnaîtra que c'est une très mauvaise opération que de fondre des bâtisses, et qu'il y a beaucoup à gagner pour l'apiculteur à les entretenir aussi longtemps qu'elles peuvent servir.

§ 40. C'est cette considération qui a engagé les apiculteurs à rayons mobiles à chercher le moyen de vider les rayons du miel qu'ils contiennent, pour les rendre aux abeilles, afin qu'elles les remplissent de nouveau. Ce but a été atteint par le major autrichien Hruska, qui a inventé pour cela une machine à force centrifuge qui est connue sous le nom de mello-extracteur et que nous appellerons, comme les Italiens, smélateur, du verbe *smelare*, tirer le miel des ruches.

La propolis.

§ 41. La propolis est une espèce de résine que les abeilles récoltent, notamment sur les bourgeons de certains arbres, tels que les peupliers, et dont elles enduisent leurs ruches, bouchent les crevasses, attachent les rayons aux parois de la ruche, etc.

§ 42. On a longtemps considéré la propolis comme un obstacle à la culture des abeilles au moyen de la ruche à rayons mobiles; cela tenait à ce que les premiers inventeurs de ruches ne laissaient pas assez d'intervalle entre les cadres et les parois des ruches, et aussi parce que les cadres avaient trop de points de contact entre eux et avec la ruche. Aujourd'hui, les points de contact des cadres entre eux n'existent plus dans les bonnes ruches, et la distance entre les cadres et la ruche étant de 6 à 8 millimètres, les abeilles, qui peuvent y circuler, ne trouvent pas cet intervalle assez large pour y construire des cellules, ni assez étroit pour le garnir de propolis.

CHAPITRE III.

Matières récoltées par les abeilles pour leur nourriture.

Le miel.

§ 43. Le miel est la principale nourriture des abeilles; elles le récoltent sur les fleurs, au moyen de leur langue en forme de trompe, et le rapportent à la ruche dans leur premier estomac.

§ 44. Le miel nouvellement récolté est trop chargé d'eau pour qu'il puisse être conservé en cet état pour les provisions de la colonie; il a besoin d'être réduit par l'é-vaporation. C'est pour arriver à cette évaporation que les abeilles, les jours de récolte, battent des ailes pour établir un courant d'air dans la ruche.

§ 45. Ce battement d'ailes forme un bruissement qui est d'autant plus sonore que la récolte a été plus abondante et que la population est plus forte. On peut donc, jusqu'à un certain point, reconnaître les jours de bonne récolte, en passant devant les ruches, le soir, en été.

§ 46. Quand les abeilles reviennent chargées de miel, elles le dégorgent çà et là dans les cellules, mais toujours le plus près possible du couvain. Si la récolte de miel dépasse les besoins journaliers, il est placé au-dessus, à l'arrière de la ruche, mais en commençant toujours, comme ci-haut, par les rayons les plus rapprochés du couvain.

§ 47. Quand les cellules sont pleines de miel, les abeilles les ferment par des opercules plats, ce qui permet de distinguer les cellules qui contiennent du miel de celles qui contiennent du couvain, ce dernier ayant des opercules plus ou moins bombés.

§ 48. Le miel n'est pas fabriqué par les abeilles, il n'est que récolté ; cependant il éprouve dans l'estomac des abeilles, par son mélange avec un suc gastrique particulier, une modification qui le transforme. De sucre de canne qu'il était, et cristallisable, il devient sucre de raisin ou incristallisable en partie.

§ 49. La plupart des fleurs contiennent du miel, sécrété par leurs nectaires ; mais toutes ne sont pas accessibles aux abeilles. Plusieurs ont les nectaires trop profondément placés, dans des corolles trop étroites, pour que les abeilles puissent y puiser ; de ce nombre est le trèfle rouge, qui est négligé par les abeilles, quoiqu'il contienne beaucoup de miel excellent. Par exception cependant, elles y butinent parfois, quand la sécheresse ayant empêché la corolle de prendre tout son développement, la trompe des abeilles se trouve suffisamment longue pour atteindre les nectaires. Cette heureuse circonstance a lieu plus souvent avec les abeilles italiennes qu'avec les communes, celles-ci ayant la trompe plus courte.

§ 50. Les plantes qui donnent le plus de miel sont les crucifères : navette, colza, moutarde, etc. ; les légumineuses : trèfle blanc et trèfle hybride, sainfoin, luzerne, mélilot, etc. ; les labiées : lavande, thym, etc. ; les bruyères, les sarrazins, les arbres fruitiers et autres, parmi lesquels le tilleul est un des plus précieux pour la qualité et la quantité de miel qu'il produit.

§ 51. On peut augmenter la récolte du miel en semant des plantes qui en donnent en abondance, telles que le sarrazin et la navette. Ces plantes peuvent être enfouies en vert pour engrais. Retournées en terre quand elles sont sur le point de passer fleur, elles augmentent sensiblement la récolte qui leur succède. Un apiculteur aurait tout intérêt à donner ces semences à ses voisins, cultivateurs, le surplus de récolte de miel paierait ce petit déboursé au centuple. Le sarrazin surtout, qui convient aux localités qui n'ont pas de fleurs d'automne.

§ 51 bis. Le miel a plus ou mois de qualité, suivant les plantes sur lesquelles il a été récolté. Celui de trèfle, de sainfoin, de tilleul, d'acacia, est, avec celui des labiées, le meilleur. Le miel de sarrazin vaut beaucoup moins ; celui de bruyère vaut moins encore ; enfin, celui d'aylante glanduleux n'est, dit-on, pas mangeable.

§ 52. Les abeilles récoltent encore du miel sur les feuilles de certains arbres qui parfois en exsudent. On appelle ce phénomène miellée. Le miel qui en provient n'est pas de bonne qualité ; néanmoins il convient à la nourriture des abeilles ; je crois que c'est à tort qu'on a pensé que ce miel était insalubre. On a longtemps considéré cette rosée de miel comme provenant des excréments de pucerons ; j'ai souvent examiné ces miellées sans jamais avoir rien vu qui puisse démontrer qu'elles avaient semblable origine.

§ 53. Et ce qui me prouve que ces miellées ne sont autres que des exsudations de sève, dues à certaines circonstances atmosphériques, c'est que la sève de beaucoup d'arbres est sucrée et recueillie en temps de disette par les abeilles.

§ 54. Les fruits sont recherchés par les abeilles, quand ils sont bien mûrs et entamés ; car elles ne peuvent en percer la peau, leurs mandibules n'étant pas assez fortes pour cela. C'est donc à tort que les vignerons les accusent de manger les raisins ; elles ne sucent que ceux qui ont été précédemment endommagés par les guêpes ou par les oiseaux.

§ 55. Tous les jours ne sont pas favorables à la réproduction du miel. Parfois, par le plus beau temps, les abeilles restent inactives. On n'a pas encore su déterminer les conditions atmosphériques convenables. Je crois que l'électricité a un rôle puissant dans la pénurie ou l'abondance de récolte. C'est une grande question, qui aurait besoin des observations météorologiques de nos savants.

§ 56. Dans certaines contrées, les fleurs sont assez abondantes pour nourrir des centaines de ruches dans le même local. Cependant, je crois que jusqu'à ce qu'on soit assuré de la quantité de colonies qu'on peut établir dans la même localité, il est prudent de ne pas dépasser le nombre de cent, et de porter le surplus à une distance d'environ six kilomètres, dans la crainte qu'une grande quantité réunie sur le même lieu ne produise la disette.

Le pollen.

§ 57. Le pollen ou poussière fécondante des fleurs sert aux abeilles pour nourrir leur couvain. Il fait en outre partie de leur nourriture ordinaire, quoique les abeilles puissent parfaitement s'en passer quand elles sont arrivées à l'âge fait.

§ 58. Les abeilles rapportent le pollen dans les corbeilles que portent leurs jambes de derrière. Arrivées à la ruche, elles le déposent, comme le miel, dans les cellules les plus rapprochées du couvain, mais rarement dans des cellules de mâles.

§ 59. Quand une ruchée manque de mère pondeuse, les abeilles ne vont plus à la recherche du pollen, parce qu'elles n'ont pas de couvain à nourrir; mais elles ne manquent jamais d'en rapporter, quand il s'en trouve dans les fleurs où elles vont butiner pour le miel. Ce pollen n'étant pas mangé à mesure qu'il est recueilli, il s'en accumule parfois d'énormes quantités dans la ruche. C'est cette accumulation que les anciens apiculteurs ont baptisée du nom de rouget. Quand ce pollen n'est pas avarié, on peut l'utiliser en donnant les rayons qui en contiennent à des ruchées qui n'en ont pas. Je le mets tout près du couvain, ou entre deux rayons qui en contiennent. Peu de de jours après, il n'y en a plus, les abeilles l'ayant utilisé pour nourrir le couvain. Ce rouget peut surtout rendre de grands services aux essaims de l'année précédente, qui ont rarement assez de vieux pollen; il économisera le miel.

§ 60. Réaumur a calculé qu'une bonne ruchée peut récolter au moins cinquante kilog. de pollen en une seule année. Je crois cette estimation plutôt au-dessous qu'au-dessus de la vérité.

§ 61. Quand les abeilles, à la sortie de l'hiver, ne trouvent pas de pollen, elles ramassent de la farine, quand elles en trouvent à leur portée, et même de la sciure de bois, pour nourrir leurs larves. Pour leur venir en aide, on a imaginé de leur donner de la farine, qu'elles viennent

recueillir avec avidité. Toutes les farines conviennent,
pourvu qu'elles ne soient pas altérées. On prétend que
celle d'avoine est la meilleure de toutes. Je leur donne de
la farine de blé. Voici comment je la leur sers : Je la
mets en tas dans des boîtes à bords peu élevés ; je la tasse
bien avec les mains pour que les abeilles ne s'y noient
pas ; puis je mets dans la boîte quelque morceaux de
rayons légèrement enduits de miel et que j'ai saupoudrés
de farine; enfin je place cette boîte au soleil, assez haut
pour que les chiens ou les volailles ne puissent y atteindre.
Les abeilles venues pour le miel s'enfarinent en entrant
dans les cellules; puis, trouvant que cette farine vaut le
pollen, elles ne manquent pas de revenir en chercher.

§ 62. Cette farine est abandonnée par les abeilles dès
qu'elles trouvent du pollen dans les fleurs ; mais elle pro-
voque la ponte à une époque où il est toujours très avantageux d'augmenter la population. On ne doit donc jamais
négliger ce moyen ; la dépense sera largement compensée
par le produit.

A toute autre époque de l'année, quand les abeilles sont
inactives, faute de trouver à récolter dans les fleurs, on
fera bien d'avoir encore recours à la farine, pour stimuler
la ponte, en se souvenant qu'il y a toujours du profit à
entretenir des ruchées populeuses; car une demi-journée
de récolte peut grandement aider une colonie, si elle a
une population suffisante pour profiter du moment propice à la sécrétion du miel dans les fleurs.

§ 63. Il n'est personne qui ne sache que le pollen, en
tombant sur les pistils des fleurs, les féconde, et que si
cette fécondation n'avait pas lieu, les plantes ne produi-
raient ni semences, ni fruits. Mais ce qu'on sait moins

généralement, c'est que l'abeille, en fréquentant ces fleurs, est un des agents les plus utiles pour cette fécondation. L'abeille va de fleurs en fleurs ; elle fréquente toujours, dans le même voyage, des plantes de la même famille. Elle sort d'une fleur, couverte de pollen, et, entrant dans une autre, elle y dépose un peu de cette poussière fécondante. Par là, elle empêche que les plantes soient toujours fécondées par le pollen qu'elles ont produit. L'abeille empêche ainsi la dégénérescence qui accompagne toujours ces accouplements trop *inter se*, et elle crée les croisements et par conséquent les variétés nouvelles. C'est aux abeilles ou à des insectes de la même famille que nous devons nos anciennes variétés de fruits.

L'eau.

§ 63 *bis*. L'eau est indispensable aux abeilles pour nourrir le couvain. S'il ne se trouve pas naturellement d'eau à quelques centaines de mètres du rucher, il faut leur préparer un abreuvoir qu'on établit en remplissant une auge ou un tonneau, et en plaçant dans le fond un peu de sable ou de terreau dans lesquels on plante des herbes aquatiques, telles que du cresson de fontaine. Ces plantes empêcheront l'eau de se putréfier, et les abeilles de se noyer.

Le sel.

§ 63 *ter*. Le sel aussi est nécessaire aux abeilles. C'est pour en recueillir qu'on les voit dans les latrines, sur les

fosses à purin, les fumiers et sur les fosses des tanneries.
On leur évite le désagrément d'aller dans ces lieux mal-
sains, en remplissant une bouteille d'eau dans laquelle on
a mis un peu de sel (une poignée pour quatre litres), et
plaçant cette bouteille renversée sur une assiette sur laquelle on a mis un morceau de drap épais. On maintient
la bouteille droite sur son goulot, au moyen d'un petit
bâti soutenant un anneau de fil de fer. L'eau salée sort de
la bouteille à mesure qu'elle est absorbée.

CHAPITRE IV.

Reproduction des abeilles, parthénogénèse.

§ 64. Les organes de fécondation des mâles-abeilles, § 21, contiennent un sac membraneux, gros comme la tête d'une petite épingle, dans lequel le microscope montre des millions de filaments spermatiques, doués de mouvements, et nageant dans un liquide laiteux.

§ 65. Les organes de fécondation des reines-abeilles, ou femelles complètes, § 2, se composent de deux ovaires qui sont formés d'une agglomération d'œufs en chapelets. Ces ovaires aboutissent chacun à un canal. Puis, ces deux canaux ou oviductes se réunissent pour n'en plus former qu'un seul. Un peu au-dessous de la réunion de ces deux canaux, est située une petite poche qui communique à l'oviducte par un petit tube.

§ 66. Dans l'accouplement, le contenu du sac spermatique du mâle, que nous venons de décrire, § 64, se vide dans la poche, ou vésicule, de la femelle.

§ 67. Cette vésicule, avant l'accouplement, est peu développée et ne contient qu'un liquide incolore; après l'accouplement, on y trouve un liquide laiteux identique à celui du mâle, et contenant les mêmes filaments spermatiques.

§ 68. Si une reine ne peut sortir pour aller à la rencontre du mâle, § 6, soit parce que ses ailes sont mal con-

formées, soit pour toute autre cause, et que le moment où
elle a désiré l'accouplement soit passé, sans que son désir
ait pu se satisfaire, elle n'est pas moins féconde que si
elle se fût accouplée ; mais elle ne peut pondre que des
mâles.

§ 69 Cette ponte sans fécondation a été nommée *parthénogénèse*, de deux mots grecs. *parthenos*, vierge, et
genesis, procréation.

§ 70. Cette faculté des femelles de pondre des œufs
viables, sans avoir besoin d'accouplement, explique la
ponte dont sont capables certaines ouvrières, § 17.

§ 71. Ces ouvrières ayant des organes génitaux incapables d'accouplement, il est facile de comprendre pourquoi
elles ne peuvent pondre que des mâles.

§ 72. C'est donc la rencontre du mâle et son accouplement qui donnent à la reine la possibilité de pondre des
œufs femelles, ce dont elle était incapable auparavant.

§ 73. Une chose remarquable, c'est qu'à très peu d'exceptions près, une reine fécondée pond toujours des œufs
de mâles dans les alvéoles de mâles, et des œufs d'ouvrières dans les alvéoles d'ouvrières, § 32.

§ 74. Plusieurs auteurs ont cherché à savoir si la mère.
en pondant, donnait volontairement le sexe aux œufs, ou
si le changement de sexe était involontaire. Mais jusqu'à
présent cette question n'a pas eu de solution tout-à-fait
satisfaisante.

§ 75. On a d'abord pensé que l'étroitesse de la cellule
d'ouvrières, en pressant l'abdomen de la reine, faisait
épancher un peu de liqueur spermatique sur l'œuf, à son
passage devant le canal de communication de la vésicule
séminale, et que, par suite, un ou deux filaments sperma-

tiques, sortant avec le liquide, pénétraient dans l'œuf et le fecondaient, tandis que dans la ponte dans une cellule de mâles, plus large, la pression ne pouvait avoir lieu, et que la conséquence était que l'œuf non fécondé restait mâle.

§ 76. Et ce qui donnait du poids à cette opinion, c'est qu'il arrive parfois, lorsque l'abdomen des jeunes mères n'a pas encore pris tout son développement, qu'elles pondent des œufs de mâles, mélangés à des œufs de femelles, dans des cellules d'ouvrières, pour avoir ensuite une ponte normale lorsque l'abdomen a grossi.

§ 77. Mais on objecte avec raison que la mère, pondant parfois dans des cellules, alors qu'elles ne sont construites qu'au quart de leur longueur, la pression ne peut avoir lieu, § 75, quoique cependant les œufs se développent en ouvrières, quand ils sont pondus dans de petites alvéoles.

§ 78. D'autres ont pensé que les mères donnent elles-mêmes le sexe à l'œuf, et que c'est par un effet de leur volonté qu'elles l'imprègnent de la liqueur du mâle, ou le laissent passer sans imprégnation.

§ 79. Les faits relatés, § 77, viennent démentir cette théorie, puisque la mère dépose parfois des œufs de femelles, mêlés de mâles, dans les mêmes rayons ; il est plus probable que c'est plutôt, sans le vouloir, que d'un propos délibéré, que la reine donne le sexe.

§ 80. Car on a remarqué que les mères aiment mieux pondre dans des alvéoles d'ouvrières que dans des cellules de mâles ; elles ne pondent dans celles-ci que lorsqu'il n'y a plus de cellules d'ouvrières disponibles, ou lorsque ces dernières, étant placées loin du centre où se tiennent les abeilles, ne sont pas suffisamment échauffées pour recevoir la ponte.

§ 81. N'est-il pas plus probable que c'est la largeur de l'orifice de la cellule, sur laquelle la mère se cramponne pour pondre, qui, suivant qu'elle rapproche plus ou moins ses jambes, produit ou empêche l'imprégnation ?

§ 82. La parthénogénèse, depuis sa découverte par le curé allemand Dzierzon, a eu de nombreux contradicteurs; mais les expériences de Van Siébold ont montré que les œufs d'ouvrières contiennent tous, au moment où il sont pondus, un ou plusieurs filets spermatiques, tandis que les œufs de mâles n'en contiennent pas. Aujourd'hui, cette découverte est admise par les vrais apiculteurs.

§ 83. Il résulte de ce qui précède, que les œufs de mâles sont le produit du seul sexe femelle, tandis que les œufs femelles sont le résultat du concours des deux sexes. De sorte que les mâles n'ont aucune parenté avec le mâle qui a pu féconder leur mère, §§ 68, 69, 70, 71.

§ 84. L'abeille mère n'ayant besoin que d'un seul accouplement pour toute sa vie, tous ses œufs d'ouvrières auront donc pour père le mâle avec qui elle s'est accouplée peu de jours après sa naissance.

§ 85. Les observations qui font le sujet des deux paragraphes précédents, ont trouvé leur confirmation dans ce qui est arrivé quand on a introduit des abeilles italiennes au milieu de populations noires ou communes. Les reines italiennes importées ont continué à pondre des abeilles italiennes, sans qu'on pût remarquer le moindre changement. Et les reines qu'on a élevées de leur progéniture, qui se sont accouplées avec des mâles communs, ont donné des mâles purs et des ouvrières métis. Nous verrons, § 175, quel parti on a tiré de la connaissance de ces deux règles.

CHAPITRE V.

Elève du couvain.

§ 86. Lorsque la mère veut déposer un œuf, elle examine d'abord la cellule en y entrant, puis elle se retire : et si elle l'a trouvée convenable, elle se soulève sur ses pattes, recourbe son abdomen en dedans, puis l'insère dans la cellule. L'œuf étant déposé, elle passe à une autre cellule.

§ 87. L'œuf est enduit d'un liquide gluant par lequel il reste collé au fond de la cellule par le plus petit de ses deux bouts. Il ressemble à un petit fil blanc très court, en forme de massue légèrement courbe.

§ 88. La mère pond généralement pendant neuf à dix mois de l'année. Novembre et décembre sont les seuls mois pendant lesquels il ne se trouve pas ordinairement de couvain dans les ruches.

§ 89. En janvier, la ponte recommence. Elle est d'abord de quelques œufs, que la mère dépose au centre d'un des rayons du milieu de la ruche. Elle pond le second œuf à côté du premier ; puis elle continue en tournant en spirale, de manière à former un disque. Quand ce disque a une certaine étendue, proportionnée au nombre d'abeilles qui l'échauffent (le couvent), la mère passe de l'autre côté du rayon et garnit d'œufs les cellules opposées aux premières. Puis, à mesure que la température devient moins froide, la ponte augmente.

§ 90. Dès que les abeilles trouvent quelque chose à rapporter dans la ruche, soit du miel, soit du pollen, § 57, soit de la farine, § 60, cette récolte, faisant prévoir les jours d'abondance, augmente la ponte autant que la population le permet.

§ 91. Nous avons vu, § 2, que cette ponte peut s'élever à plus de 3,000 œufs par jour. Mais il faut pour cela une jeune mère, § 9, une population suffisante, une bonne récolte et des bâtisses assez grandes et libres pour recevoir les œufs.

§ 92. Toutes les mères ne sont pas capables de déposer un aussi grand nombre d'œufs. Il est d'une bonne gouverne d'examiner chaque ruche au moment de la grande ponte, qui a lieu au printemps, et de remplacer toutes les reines qui, en circonstances convenables, n'ont pas pondu 1,800 œufs au moins par jour, § 339 et suivants.

§ 93. Pour s'assurer du nombre d'œufs qu'une reine a pondus, on compte sur chaque cadre le nombre de décimètres carrés de rayons remplis de couvain, œufs, larves ou chrysalides. On multiplie le nombre total de décimètres carrés par 850, nombre de cellules d'ouvrières que porte un décimètre carré, § 31, et on divise le produit par 21 1/2, nombre de jours que l'œuf-abeille occupe la cellule pour devenir insecte parfait, § 19. Le quotient est le nombre d'œufs pondus chaque jour.

§ 94. Une bonne mère pouvant pondre 3,000 œufs par jour, pendant 21 jours 1/2 de suite, il en résulte que, pour qu'une ruche soit assez grande, il faut qu'elle présente aux abeilles (64,000) soixante-quatre mille cellules d'ouvrières, sans compter les cellules qui doivent loger les provisions, dont le nombre ne doit pas être inférieur à vingt mille. Re-

marquons que ces quatre-vingt-quatre mille cellules doivent être dans l'habitation des abeilles, que nous nommerons chambre à couvain, en opposition avec le nom des
autres parties de la ruche, dont l'une est la chambre, ou
boîte de surplus, ou chapiteau.

§ 95. Ce sont les abeilles qui règlent la ponte de la
mère. Si la récolte est abondante, elles la nourrisent bien,
lui présentant souvent de la nourriture au bout de leurs
trompes. Cette nourriture abondante et probablement la
même qui est distribuée à demi-digérée aux larves, échauffe
la mère, et des œufs, grossissant, se détachent des chapelets de ses ovaires, § 65.

§ 96. Mais si la récolte cesse, les abeilles nourrissent
moins bien la mère et la ponte se ralentit, pour cesser
tout-à-fait, surtout si le froid vient s'ajouter à la disette,
et pour reprendre aussitôt que ces causes auront disparu.

§ 97. La nourriture, distribuée aux larves lorsqu'elles
sont écloses, est très sucrée pendant les trois ou quatre
premiers jours. C'est une gelée transparente et laiteuse,
sur laquelle on voit le petit ver couché au fond de sa cellule.

§ 98. Les jours suivants, la nourriture est plus grossière,
se composant en grande partie de pollen. La larve, alors,
quitte le fond de la cellule, où elle serait trop à l'étroit ;
elle s'allonge, et les abeilles l'enferment. Elle se forme en
chrysalide, puis en insecte parfait. Elle quitte enfin cette
cellule en y laissant une toile mince qui l'enveloppait.

§ 99. Les toiles laissées par les abeilles, en quittant
leur cellule, sont tellement minces que les abeilles peuvent élever cent fois des larves dans les mêmes cellules,
sans qu'on puisse remarquer une différence de grosseur

dans les abeilles qui y ont été pondues les dernières. Je crois que les cellules doivent être considérées comme assez grandes pour élever du couvain, tant que la mère peut y enfoncer son abdomen pour y pondre; car cet abdomen est beaucoup plus gros qu'une abeille.

§ 100. A part la plus grande longueur de temps que les larves des mâles mettent à se développer, les opérations d'élevage sont les mêmes que pour les ouvrières. Cependant, nous devons dire que lorsque la récolte vient à manquer pendant leur élevage, il arrive souvent que les abeilles les tirent de leurs cellules pour les jeter dehors.

§ 101. Cela arrive aussi pour les larves d'ouvrières; mais il faut que la nourriture ait manqué au point que les larves n'aient pu être nourries. Dans ce cas, le plus souvent la colonie abandonne la ruche pour chercher fortune ailleurs. Comme cette émigration a lieu ordinairement au printemps, époque où le couvain est le plus abondant, on nomme ces désertions des essaims de Pâques.

§ 102. Nous avons vu que les œufs qui produisent des femelles complètes, ou reines, sont les mêmes que ceux qui produisent des ouvrières, § 4. Les larves qui en éclosent reçoivent la même nourriture que les autres larves, pendant les premiers jours, mais plus abondamment. Et cette nourriture leur est continuée sans changement et donnée avec libéralité jusqu'à la fin. On trouve toujours de la nourriture au fond des cellules que les reines viennent de quitter, tandis qu'il n'en reste jamais dans les cellules d'où sont sorties des abeilles des autres genres.

§ 103. Nous avons vu aussi, § 4, que les reines sont élevées dans des cellules beaucoup plus grandes que les autres, et que leur ouverture est en bas. Une particularité à remarquer, c'est que la toile, que la jeune reine laisse après elle, ne tapisse pas entièrement la cellule.

§ 104. C'est sans doute par une sage prévoyance de la nature qu'il en est ainsi; car, aussitôt née, la première reine éclose s'empresse d'aller tuer ses futures rivales au berceau. Le plus souvent, cependant, ce sont les ouvrières qui se chargent de cette besogne. On conçoit que si le dard de la femelle restait dans la cellule, retenu par l'enveloppe soyeuse dont nous venons de parler, la jeune reine pourrait périr et entraîner ainsi la perte de la colonie.

§ 105. Car lorsqu'une jeune reine sort de sa cellule, la ruche ne possède, d'ordinaire, pas d'autre reine, excepté ses sœurs qui sont encore au berceau. Et si elle perdait la vie, en tuant la dernière, la colonie serait dans l'impossibilité de s'en procurer une autre. L'absence de coque soyeuse sur une partie de la longueur de la jeune chrysalide, permet donc de la percer sans danger.

§ 106. Cependant, si la colonie est disposée à essaimer, les abeilles empêchent la reine première née de tuer ses rivales. Celles-ci sont retenues prisonnières dans leur cellule, où on les nourrit. Elles poussent un cri rauque qui résonne dans la ruche, comme *tût*. La reine libre y répond par un autre cri *kouä*. Ce sont ces cris qu'on désigne sous le nom de chant des reines.

§ 107. Plusieurs circonstances peuvent porter les abeilles à élever de jeunes mères. Nous allons les passer en revue. La première de toutes est le désir d'essaimer. (Voir pour son explication le chapitre intitulé ; *Essaimage naturel.*)

§ 108. La seconde condition est la mort de la reine. Cette mort peut être naturelle ou accidentelle : naturelle, quand elle est le résultat de son vieil âge, ou d'une mala-

die ; accidentelle, quand les abeilles s'en sont dégoûtées,
soit parce qu'elle ne pond pas assez, soit parce qu'elle a
été touchée par l'apiculteur avec des doigts imprégnés de
mauvaise odeur, soit parce que, quelque chose l'ayant
effrayée, elle se sera conduite comme ferait une abeille
étrangère à la ruche, et a été prise pour telle par les
abeilles, soit parce qu'un rayon, en se détachant, l'aura
blessée, ou l'apiculteur, dans ses opérations, l'aura pres-
sée, etc.

§ 109. La mort de la mère, ou sa suppression, peut encore être le fait de l'apiculteur, pour la remplacer par une
plus jeune, ou une meilleure pondeuse, ou par une race
plus pure ou plus avantageuse.

§ 110. Dans tous les cas qui précèdent, si les abeilles
ont du couvain d'ouvrières, éclos depuis trois jours ou
moins, elles s'empressent d'en choisir quelques larves dont
elles agrandissent les cellules, en tournant leur orifice en
bas. Elles choisissent pour cela les cellules qui sont sur
les côtés, ou vers les passages, ou dans le bas, afin d'avoir
moins de cellules à détruire. Cependant, faute d'autres,
elles prennent aussi des cellules placées au milieu des
rayons. Ces cellules sont agrandies aux dépens de leurs
voisines. Les abeilles augmentent la nourriture ; et ces
larves, qui étaient destinées à devenir des ouvrières, se
développent en reines.

§ 111. Le nombre des alvéoles ainsi préparés par les
abeilles, dépasse ordinairement de beaucoup les besoins
de la colonie, puisqu'elle n'a l'emploi que d'une seule
reine. Il est ordinairement de six à douze, comme il peut
n'être que d'un, ou s'élever à vingt ou trente, et même
plus.

§ 112. Nous avons vu que la reine met seize jours à devenir insecte parfait, à partir du moment où l'œuf a été pondu, § 5. Or comme les abeilles se servent de couvain âgé de six jours, soit trois à l'état d'œuf et trois à l'état de larves, si elles en ont de cet âge, c'est le dixième jour qu'éclot, le plus souvent, la première jeune femelle. Je prie le lecteur de se souvenir de cette remarque, car elle est très importante dans la pratique des ruches à rayons mobiles.

CHAPITRE VI.

Essaimage naturel.

§ 113. Nous avons vu que, dès l'hiver, la mère se met à pondre, et que cette ponte augmente avec le beau temps et la récolte. Bientôt la ruche est trop petite pour contenir toutes les abeilles. Ce trop-plein arrive plutôt dans de petites ruches que dans de grandes. La mère, qui éprouve le besoin de déposer ses œufs, parcourt les rayons à la recherche de cellules vides, de plus en plus rares, parce que les abeilles butineuses, remplissent de miel, à mesure, celles que les jeunes quittent en naissant. Ces pérégrinations de la mère, jointes à l'encombrement causé par la présence des mâles qui, insoucieux et égoïstes, heurtant constamment les bâtiments au moment le plus productif du jour, apportent le trouble dans la colonie.

§ 114. La mère, à défaut d'autre place, a pondu jusque sur la tranche supérieure des rayons, même dans des cellules de reine, construites à l'avance. Alors les abeilles se décident à élever des reines pour *jeter* un essaim.

§ 115. Bientôt la reine reconnaît qu'on a fait des préparatifs pour la remplacer. Elle voudrait anéantir ses rivales avant leur naissance; mais on l'en empêche. Ces violences augmentent le trouble de la colonie. Enfin, un beau jour, le signal est donné : toutes les abeilles se précipitent dehors, abandonnant leur ancienne demeure, pour aller établir une nouvelle colonie ailleurs.

4

§ 116. La mère suit toujours l'essaim, à moins qu'elle ne puisse voler. Dans ce cas, elle tombe à terre et peut se perdre dans l'herbe ou dans la poussière.

§ 117. Avant de partir, les abeilles se sont précipitées sur les provisions qu'elles ont mises au pillage. Elles emportent des vivres pour trois jours, et sont si joyeuses de leur départ, si occupées de se rallier, qu'elles ne s'occupent nullement de ce qui se passe autour d'elles, et qu'on peut se trouver tout-à-fait au milieu d'elles sans qu'elles songent à piquer.

§ 118. Leur vol échevelé dure quelques minutes, pendant lesquelles leur bourdonnement se fait entendre au loin. Puis, quelques abeilles fatiguées se posent par-ci par-là ; enfin la mère rejoint un des petits groupes et bientôt toutes se rallient autour d'elle et forment la plupart du temps une grappe pendante.

§ 119. Pendant que l'essaim se rassemble, d'autres abeilles sont parties, en avant, explorer les creux d'arbres ou de rochers, en quête d'un nouveau logis. Ces explorations ont le plus souvent été commencées plusieurs jours avant le départ de l'essaim.

§ 120. Dès que la masse des abeilles est rassemblée et qu'on n'en voit plus que quelques-unes voler autour, il faut se hâter de la recueillir, dans la crainte que les abeilles, parties en fourrier, ne reviennent et n'entraînent l'essaim au loin ; car il serait alors très difficile de le suivre dans sa course rapide.

§ 121. On a dû préparer d'avance la ruche qui doit être sèche, propre et fraîche. Il suffit qu'elle n'ait aucune mauvaise odeur ; les abeilles s'y établiront, sans qu'il soit besoin de la frotter de quoique ce soit.

§ 122. Le carillon que certains apiculteurs font ne sert à rien pour faire grouper les abeilles. Leur instinct les y porte, et elles le suivront, avec ou sans carillon. Mais ce tapage peut être bon pour indiquer qu'un essaim vient de sortir et qu'on se réserve le droit d'aller le recueillir sur le terrain voisin.

§ 123. Il y a différentes manières de recueillir un essaim, suivant le lieu où il est posé. S'il est à terre, on n'a qu'à placer la ruche au-dessus, les abeilles s'y établiront toutes seules.

§ 124. S'il est sur un arbre peu élevé, on place la ruche à côté ; on étend devant elle un linge qui aille jusque sur le plateau de la ruche ; puis on fait tomber l'essaim, en secouant la branche, dans une boîte légère qu'on vient verser devant l'entrée de la ruche. Au bout d'un instant, on recommence la même opération pour les abeilles qui seront de nouveau groupées à la branche.

§ 125. S'il est sur un arbre très élevé, on se sert d'une espèce de grand voile à papillons, qu'on tend sous la branche, tandis qu'un aide la frappe avec une perche ; on ferme le voile à papillons en mettant verticalement son cercle d'ouverture, et on descend vider les abeilles devant l'entrée comme ci-dessus.

§ 126. Si l'essaim est contre un mur ou un tronc d'arbre, on met la boîte au-dessous ; puis, au moyen d'un panneau, on fait tomber les abeilles dedans, et on agit comme ci-haut. Pour ce dernier cas surtout, on devra se munir d'un voile, car le panneau, souvent, irrite les abeilles.

§ 127. Enfin, c'est à l'apiculteur à inventer un moyen pour chaque cas qui pourra se présenter ; en se souvenant que quand il n'aurait mis dans la ruche qu'un petit nombre d'abeilles, s'il a la mère, tout l'essaim y sera bientôt entré ; comme aussi la ruche sera bientôt abandonnée, si la reine n'y est pas.

§ 128. Aussitôt que l'essaim est entré dans sa nouvelle demeure, on doit le mettre à la place qu'on lui destine et l'ombrager, et l'arroser même, s'il fait très chaud, pour lui faire trouver sa nouvelle habitation agréable. Si on attendait le soir pour le placer, plusieurs abeilles qui seraient sorties de suite pour aller à la récolte, ne trouveraient plus l'essaim et retourneraient à la ruche.

§ 129. La mère étant partie avec l'essaim, la ruche qui l'a produit se trouve orpheline. Mais elle a de jeunes femelles au berceau, qui ne tarderont pas à sortir de leurs cellules. La première née cherche à tuer ses sœurs ; les abeilles l'en empêchent et la fièvre d'essaimage n'est pas encore passée ; et huit jours, environ, après le premier essaimage, la ruchée en émet un second. Puis, si cette fièvre dure encore, deux ou trois jours après elle en émet un troisième. Elle peut même en avoir un quatrième.

§ 130. Mais ces essaims secondaires sont rarement viables. Ils n'ont pas assez de population pour amasser des provisions suffisantes, et neuf fois sur dix ils périssent l'hiver suivant.

§ 131. On ne doit donc pas, quelque désir qu'on ait d'agrandir son rucher, conserver les seconds essaims, mais les rendre à la ruche, le lendemain matin du jour où on les a recueillis. On procède de bon matin ; on étend un linge devant la ruche où on doit les faire entrer, puis on y secoue d'un coup sec les abeilles de l'essaim. Pendant le trouble que produit cette invasion, les gardiennes négligent de veiller sur les jeunes femelles qu'elles retenaient prisonnières dans leurs cellules, § 106 ; celles-ci sortent et sont tuées, soit par les abeilles, soit par la reine qui, plus âgée et plus forte, accompagnait l'essaim.

On peut reconnaître quelle est la ruche qui a essaimé, par les jeunes abeilles qui, ayant quitté l'habitation avec l'essaim, n'ont pu suivre et sont tombées à terre, où on les voit devant la ruche. On peut aussi enfermer des abeilles de l'essaim dans une bouteille et en faire sortir une ou 2 devant chaque ruche ; la manière dont elles sont accueillies et le plaisir qu'elles témoignent en retrouvant leurs compagnes, indiquent quelle est la ruche d'où elles sortent, § 16.

§ 132. Une autre raison, qui doit encore engager à rendre l'essaim secondaire à sa ruche, c'est que celle-ci, diminuée par ces deux essaimages, n'aura plus assez de population pour amasser des provisions, et pourra périr.

§ 133. En outre, il arrive souvent que la jeune femelle chargée de pourvoir à la propagation des abeilles, est perdue dans sa course nuptiale ; alors la ruche meurt si on n'y pourvoit à temps.

§ 134. Enfin, les essaims secondaires ont parfois des tendances à quitter la ruche où on les a recueillis, et à s'envoler au loin, sans qu'on s'y attende. Leur reine est jeune ; elle n'est pas fécondée ; elle a besoin de sortir pour cette fécondation. Mais la colonie n'a ni bâtisses, ni couvain, pour la retenir au logis ; elle craint de voir sortir sa reine et de la perdre. Elle la suit ; et comme la jeune femelle vole au loin pour chercher un mâle, la population part avec elle sans s'arrêter et ne revient plus.

Il y a des essaims secondaires qui, quoique ayant des

mères fécondes, quittent la ruche où on les a recueillis. J'en
ai vu parfois quitter la ruche plusieurs jours de suite. On
peut les fixer en leur donnant un rayon de couvain sur
lequel il doit y avoir du miel et surtout du pollen ; car
l'absence de cette matière seule suffit pour les faire dé-
serter.

§ 135. Les inconvénients qu'on reproche à l'essaimage
naturel sont : qu'il faut surveiller les essaims pendant des
semaines, quelquefois pendant des mois entiers, tous les
jours, de neuf heures du matin à quatre heures du soir.
Surveillance très assujettissante et ennuyeuse.

§ 136. Pendant tout le temps que durent les préparatifs
d'essaimage, les abeilles se tiennent à l'entrée, pendant en
grappe, *faisant la barbe* et ne travaillant pas.

§ 137. Quand l'essaim est parti, la population est tellement diminuée, que la ruche ne peut que rarement donner du miel à son propriétaire, et il est rare que la ruche
mère et l'essaim rapportent autant que la ruchée seule eut
fait si elle n'eût pas essaimé.

§ 138. Enfin, on a la chance de perdre la ruche mère,
si la jeune femelle, qui remplace la vieille reine, est perdue dans sa course nuptiale.

§ 139. Un autre ennui, c'est que plusieurs essaims peuvent sortir à la même heure et se mêler. S'ils ne sont pas
trop forts, il faut les laisser réunir ; mais si on veut les
séparer, on étend un drap à terre ; on met sur ce drap, à
quatre pieds les unes des autres, autant de ruches qu'on
a d'essaims réunis ; on fait tomber au milieu les essaims
qu'on a recueillis, dans une boîte ; puis on cherche les
reines, en tâchant de donner à chaque ruche à peu près
autant d'abeilles. A mesure qu'on trouve une mère, on

la met dans un étui de toile métallique, fait en rouleau,
autour d'un bouchon, un morceau de toile métallique de
dix centimètres carrés, et en le fermant par un bouchon
à chaque bout. Quand toutes les abeilles sont entrées, on
voit aisément les ruches qui manquent de mères, parce
que les abeilles s'agitent et sortent. On leur donne à chacune une des mères qui sont dans les étuis, et tout rentre
dans le calme.

§ 140. Tous les inconvénients que je viens de signaler
ont engagé les apiculteurs à remplacer l'essaimage naturel par l'essaimage artificiel, qui est loin de demander
autant de travail, sans présenter autant de désagréments.

CHAPITRE VII.

Essaimage artificiel.

§ 141. Il y a plusieurs méthodes de faire les essaims artificiels. Celle qui a été employée la première se nomme essaimage par la chasse, ou essaimage forcé.

Lorsqu'on a reconnu, au printemps, que les abeilles sont nombreuses, et, autant que possible, avant la ponte des mâles, on prend la ruche qu'on veut forcer ; on l'enlève de sa place, après y avoir glissé une bouffée de fumée ; on la remplace par une ruche vide, pour recevoir les abeilles ; on la porte à quelques pas ; on la retourne et on place sur son embouchure une ruche vide de même diamètre ; puis on entoure la réunion des deux ruches d'un linge, pour retenir les abeilles ; ensuite, avec un ou deux bâtons légers, on frappe la ruche dont on veut chasser les abeilles, pendant environ quinze à vingt minutes, à intervalles, en commençant par le fond de la ruche et en remontant successivement. Les abeilles sont chassées de leur ruche par le *tapotement* et montent dans la ruche vide. Si on veut que l'essaim forcé réussisse sans aucune chance de perte, on enlève une bonne ruchée qu'on porte à quelque distance de la place qu'elle occupait, et on met l'essaim dans la place de cette dernière. Cette méthode n'est possible qu'avec la ruche à rayons fixes.

§ 142. L'essaimage par division consiste à prendre moitié des bâtisses, du miel, du couvain et des abeilles d'une ruchée et à établir cette moitié dans une autre ruche. On

met ces deux ruches l'une à côté de l'autre, en ayant le
soin de surveiller la rentrée des abeilles, de manière à ce
qu'elles gagnent autant d'abeilles l'une que l'autre. Pour
y arriver, on recule, plus loin de la place où était l'entrée
de la ruche partagée, celle des deux qui gagne le plus
d'abeilles, et on rapproche l'autre. Cet essaimage vaut
mieux que le précédent ; mais il a l'inconvénient de faire
bâtir des rayons à un essaim privé de mère. Or, une colonie orpheline ne construit que des alvéoles de mâles.
Cette remarque doit être notée avec soin ; car elle a beaucoup d'influence sur la bonne réussite des ruchées.

§ 143. Par les deux méthodes qui précèdent, une des
deux colonies reste sans mère pondeuse pendant une
vingtaine de jours, § 112, § 6. Et c'est au moment de la
grande ponte, c'est-à-dire lorsque les ruchées se préparent pour l'époque de la grande récolte, que cette privation de mère à lieu.

§ 144. Or, il est reconnu que plus une colonie a d'a-
beilles butineuses, § 13, au moment où la miellée donne,
plus la récolte est satisfaisante, et qu'une population de
quarante mille abeilles ramassera, dans le même temps,
trois ou quatre fois autant de miel qu'une population de
vingt mille.

§ 145. Il y a donc un intérêt très grand à ne pas dé-
membrer les colonies, soit en leur enlevant presque toutes
leurs abeilles, comme par l'essaimage par la chasse, soit
en les partageant, comme par la méthode de division.

§ 146. En outre, on aurait un grand bénéfice à rac-
courcir, pour la ruchée qui devrait élever une reine, le
temps pendant lequel elle serait privée de mère pondeuse.

§ 147. Ces deux résultats ont été atteints par la méthode

que nous nommerons essaimage par progression. Disons
tout de suite que cette sorte d'essaimage n'est praticable
qu'au moyen de la ruche à rayons mobiles.

§ 148. Nous avons vu, §§ 109 et 110, que les colonies
orphelines peuvent élever des reines, pourvu qu'elles
aient du couvain de moins de trois jours. Quand on veut
faire des essaims par progression, on utilise cette faculté
des abeilles en leur faisant construire des alvéoles de
reines. Pour atteindre ce résultat, on choisit la mère qui
a pondu le plus l'année précédente, qui a les abeilles les
plus actives, les plus douces, et on l'enlève de la ruche.

§ 149. Pour trouver une reine parmi les abeilles d'une
ruche, si cette ruche est à cadres, on enlève chaque cadre
l'un après l'autre et on l'examine. On doit agir sans secousses, pour ne pas effrayer la mère. Les reines noires
sont très timides et fuient dans les coins de la ruche. Les
italiennes, moins craintives, ne quittent guère les rayons.
Le plus souvent on trouve la mère sur un rayon où il y a
des œufs. Si, après avoir vu et revu tous les rayons, la
mère a été introuvable, on met une ruche vide près de la
ruche dont on cherche la mère ; on étend un linge à terre,
de manière à ce qu'il se prolonge jusque devant l'entrée
de la ruche vide, et on secoue sur le linge toutes les
abeilles des cadres l'un après l'autre. Les abeilles établissent bientôt une procession allant du milieu du linge à la
ruche. On cherche la mère dans le nombre, à mesure
qu'on les fait tomber. On place les cadres dépouillés d'a-
beilles dans une autre ruche, à mesure. On termine en
cherchant la mère dans la ruche où étaient les cadres, et
si on ne la trouve pas, on vide le reste des abeilles sur le
linge et on examine encore. Si on ne réussit pas, on place

une autre ruche vide, ou boîte, à l'autre bout du linge et
on fait tomber toutes les abeilles sur le linge pour qu'elles
aillent à cette seconde ruche. On recommence ainsi jusqu'à ce qu'elle soit trouvée. Il est rare, heureusement,
qu'on soit aussi longtemps à la chercher.

§ 150. Quand la reine est trouvée, on la met dans une
cage, § 139. Si on a une reine à remplacer parce qu'elle
est trop vieille, § 9, ou parce qu'elle ne pond pas assez,
§§ 91, 92, ou parce qu'elle appartient à une race moins
bonne, on la tue et on met l'étui qui contient la reine de
choix sur le haut des rayons, en écartant légèrement les
cadres, pour que l'étui soit entre deux rayons ayant du
miel, qu'on égratigne un peu, pour que la mère prisonnière puisse y puiser, dans le cas où les abeilles néglige-
raient de la nourrir. Quarante-huit heures après, on va la
délivrer, en enlevant un des bouchons ; mais cette déli-
vrance doit être effectuée en effrayant les abeilles et la
reine prisonnière le moins possible.

§ 151. Une autre méthode pour introduire une reine
dans une ruche, consiste à préparer de l'eau sucrée qu'on
aromatise avec une cuillerée à café d'essence de menthe
ou en employant de la noix muscade qu'on a fait bouillir
avant d'ajouter le sucre à l'eau. On lève le premier cadre ;
on asperge bien sa place et la paroi de la ruche avec cette
eau sucrée ; on asperge bien aussi le rayon et les abeilles ;
on fait de même pour chaque rayon ; puis on trempe la
reine elle-même dans cette dissolution et on la laisse aller
dans la ruche quand tous les rayons sont remis en place.
Par ce dernier moyen, il n'y a pas d'interruption dans la
ponte, puisque la mère remplace l'autre instantanément.
Mais il faut n'employer ce moyen que lorsque la récolte

est abondante et seulement après que toutes les butineuses sont au logis.

§ 152. Si on n'a pas de reine à remplacer, on fait avec la mère enlevée un essaim. Il y a différentes manières d'opérer. Si on a beaucoup de ruchées, on peut prendre à cinq ou six, ou même à sept ou huit, un rayon contenant du couvain, du miel et chargé d'abeilles. On met tous ces rayons ensemble dans une ruche vide, après les avoir aspergés comme ci-dessus, § 151, et on y laisse aller la mère immédiatement.

§ 153. Il est préférable, pour ces enlèvements de rayons chargés d'abeilles, que la plupart des abeilles enlevées soient jeunes. On y réussit en opérant entre dix heures du matin et trois heures de l'après-midi. Toutes les butineuses sont aux champs à ces heures chaudes de la journée, §§ 12, 13.

§ 154. Lorsque les rayons ont été placés et la reine mise dans la nouvelle colonie, on la porte à l'ombre ; on la ferme complètement pour 24 heures, en ayant le soin de jeter dans la ruche quelques gouttes d'eau, dont les abeilles pourraient avoir besoin pour délayer le pollen dont elles préparent la bouillie, nourriture des larves, § 63 *bis*. Le lendemain matin, on met la ruche à la place qu'elle doit occuper et on donne la liberté aux abeilles, après avoir mis devant l'entrée un bout de planche ou une tuile qu'on appuie contre le mur, de manière à ce que les abeilles, en sortant, remarquent quelque chose d'insolite et qu'elles fassent une étude de leur nouvelle position, § 13.

§ 155. L'essaim que nous venons de décrire est dès ce moment une forte ruchée. Si on veut obtenir d'autres

reines de la même mère, on peut recommencer l'opération huit jours après. A ce moment, aucune des larves
provenant des ruchées qui ont fourni les rayons ne pourra
plus être utilisée par les abeilles pour en faire une reine ;
elles seront trop âgées, § 110.

§ 156. Si on n'a pas un nombre suffisant de ruchées
pour opérer comme ci-dessus, ou si elles sont faibles et
qu'on craigne de les affaiblir encore à ce moment de l'année, on prend un seul rayon de couvain avec miel à une
forte ruchée, sans abeilles ; puis on ouvre une ou deux
autres ruchées et on leur prend des abeilles pour garnir
ce rayon, en ayant le soin d'asperger comme ci-haut,
§ 151. On y introduit la mère, on ferme, etc., après avoir
mis dans ce *noyau* un rayon d'ouvrières vide ou à défaut
un cadre, et avoir rapproché les diaphragmes, de manière
à ce que les abeilles puissent aisément entretenir la chaleur nécessaire. Huit ou quinze jours après, on ajoutera à
ce noyau un second rayon de couvain clos et de la place à
mesure du besoin. Ce sera une excellente ruchée pour
l'hiver.

§ 157. Nous avons vu, § 110, que les abeilles construisent les cellules de mères de préférence sur la tranche
des rayons. Si on désire obtenir un grand nombre d'alvéoles de reines, dans la ruche qu'on a rendue orpheline,
on préparera des *tranches* de rayon en enlevant, avec un
couteau, des bandes de deux ou trois centimètres de largeur au-dessous des endroits où il y aura de jeunes
larves. On aura le soin de donner de l'eau sucrée en abondance, si la récolte est faible, afin d'avoir, non-seulement
beaucoup d'alvéoles, mais aussi des larves de reines abondamment nourries, donnant des reines de bonne qualité.

§ 158. Neuf jours après son orphelinat, on ouvre la ruche et on compte tous les alvéoles qu'elle contient. On ne doit compter que pour un tous les alvéoles qu'on ne pourrait séparer de leurs voisins.

§ 159. Si tous les rayons de la ruche orpheline portant du couvain ne contiennent pas chacun un alvéole, on leur en greffe un à chacun. Voici comment s'opère cette greffe : au moyen d'un couteau très mince et pointu, on coupe autour de l'alvéole à enlever un morceau de rayon ayant autant que possible la forme d'un V, dont l'alvéole est la pointe. Ce morceau de rayon peut avoir deux ou trois centimètres à sa plus grande largeur, ou un peu plus. On fait une ouverture semblable, mais plus longue, dans le rayon où on veut le placer, autant que possible dans l'endroit chaud et bien couvé du rayon ; puis on l'y greffe.

§ 160. Si on a plus d'alvéoles de reines que de rayons de couvain, dans la ruche disponible, on prépare, comme ci-haut, §. 156, autant de noyaux qu'on a d'alvéoles disponibles. On les garnit d'abeilles qu'on peut prendre à la ruchée qui a fourni chaque rayon. On les met à l'ombre et on les enferme.

§ 161. Le lendemain on coupe, comme ci-dessus, § 159, tous les alvéoles disponibles, et on en greffe un dans chaque noyau, après avoir pris le soin de bien enfumer les abeilles des noyaux, avant de les ouvrir, pour que, mises en bruissement, elles ne songent pas à quitter la ruche, § 16. L'alvéole attaché, on ferme la ruche pour 24 heures encore, et on agit comme ci-haut, § 155. On doit prendre les plus grandes précautions pour ne pas tuer les nymphes que les alvéoles contiennent. On doit pour cela éviter de les secouer, de les exposer au froid ou à l'ardeur du soleil.

§ 162. Il faut avoir soin de mettre au moins 6 heures d'intervalle entre le moment où on a préparé le noyau et celui où on y greffe l'alvéole, pour que les abeilles aient eu le temps de reconnaître leur privation de reine. Si on omettait cette précaution, l'alvéole courrait les plus grands risques d'être détruit.

§ 163. Quand on a distribué tous les alvéoles et qu'il n'en reste plus qu'un sur chaque rayon ayant du couvain, on établit chacun de ces rayons dans une ruche, en donnant des abeilles et du miel, et on les ferme pour 24 heures, comme ci-haut, § 154.

§ 164. Le rayon qui doit rester dans la ruche doit porter aussi un alvéole .On doit laisser avec lui tous les rayons qui n'en ont pas, et ajouter, en outre, des rayons vides, pour que la ruche puisse contenir toute la population de butineuses, qui était aux champs au moment du démembrement. Si on n'a pas assez de rayons vides, on donne des cadres vides ; mais il faut se souvenir de les enlever quand on aura une mère pondeuse, car ils auront été garnis de bâtisses de mâles, § 142.

§ 165. Trois jours après l'enlèvement de la mère de la ruchée qui a fourni les alvéoles qu'on vient de distribuer, on aura dû enlever une autre mère à une autre ruchée, avec les mêmes soins et par les mêmes moyens. Il en résultera que, trois jours après la distribution des alvéoles, on pourra remplacer tous ceux qui auraient été détruits par les abeilles ou qui auraient pu ne pas réussir pour une cause quelconque. Dans un grand rucher, on renouvelle cet orphelinat deux fois par semaine, jusqu'à ce qu'on ait atteint le nombre d'essaims qu'on désire. J'engage à ne pas dépasser un demi-essaim par vieille colonie ; c'est assez pour agrandir le rucher. On aura en outre une récolte de miel qui ne se sentira presque pas de l'essaimage, car on ne doit pas compter récolter beaucoup de miel et faire beaucoup d'essaims. Cependant, si on voulait sacrifier toute la récolte de miel, on pourrait faire un grand nombre d'essaims. C'est la récolte plus ou moins abondante qui doit toujours guider l'apiculteur, quant à la quantité d'essaims qu'il peut faire.

§ 166. En visitant les noyaux, trois jours après qu'ils ont été garnis d'alvéoles, on examine ceux-ci pour voir s'ils sont éclos. Lorsque la reine en est sortie, l'alvéole est ouvert par le bout qui paraît effilé. Si l'alvéole est ouvert par le côté et fermé par le bout, c'est que les abeilles auront tué la larve qu'il contenait ; il est prudent alors de chercher cette jeune reine, et si on ne la trouve pas, de remettre un autre alvéole dès qu'on en a un.

§ 167. Entre le sixième et le dixième jour après l'introduction des alvéoles, on peut voir les jeunes reines sortir pour aller chercher des époux. Vers le douzième jour on trouvera, si la saison est favorable, des œufs pondus dans presque toutes les ruchettes. Aussitôt qu'on en trouve, on doit ajouter à chaque ruchette un rayon de couvain portant du miel, et donner un cadre vide pour que les abeilles y construisent des rayons. On ajoute encore de la place un peu plus tard, puis à mesure du besoin ; et comme vers ce temps on est dans les beaux jours, la ruchette commence à subvenir à ses besoins. Cependant, il serait mieux d'ajouter encore du couvain et du miel.

§ 168. Il résulte de cette manière d'opérer que, pour faire un essaim, on n'a eu besoin que du quart, au maximum, de la population d'une ruchée ; et ce quart, couvain, abeilles et rayons, a été pris à deux colonies qui, fournissant chacune un huitième, ne se sentent pas de cette soustraction, qui n'a d'autre effet que de leur donner de la place et, avec les autres circonstances requises, de les empêcher d'essaimer.

§ 169. Je modifie d'ordinaire cette sorte d'essaimage, que j'emploie exclusivement, en ceci : je laisse, sans les toucher, toutes mes plus fortes ruchées, excepté celles qui doivent préparer les alvéoles, pour que ces ruchées, qui ont des butineuses en grand nombre pour le moment de la récolte, me donnent une bonne quantité de miel, et je prends du couvain à toutes celles de mes colonies qui, pour quelque cause, se sont trouvées en retard pour l'élève de leur couvain. Leurs abeilles n'étant pas assez âgées pour aller à la récolte, et leur force militante n'étant pas suffisante pour donner beaucoup de profit, il est plus avantageux de les utiliser à produire des abeilles et du couvain, ce qu'on obtient en remplaçant, par des rayons vides, les rayons de couvain qu'on enlève. Si à la fin de la saison elles n'ont pas fait leurs vivres, il sera facile de leur venir en aide par un échange de rayons.

§ 170. Une autre méthode, que je puis recommander en toute sécurité, consiste à enlever la reine de la ruche à laquelle on veut faire faire des alvéoles et à la mettre, avec le rayon sur lequel on la trouve, dans une ruche vide qu'on garnit de cadres vides mis de chaque côté, le rayon se mettant au milieu. On enlève la ruche privée de mère, on la porte dans une autre place et on établit la ruche qui contient la mère en place de l'ancienne. Cette ruche, recevant toutes les abeilles qui reviennent des

champs, a bientôt rempli tous ses cadres de rayons. Quant
à la ruchée orpheline, il est indispensable de lui donner
de l'eau sucrée chaque soir, pour que les abeilles ne souf-
frent pas du besoin d'eau et qu'elles élèvent de bonnes
mères. Quand les alvéoles sont préparés, on agit comme
il est indiqué aux §§ 159, 160, 161, 162, etc.

§ 171. On peut encore se servir de ruchettes ou petites
ruches dans lesquelles on greffe des alvéoles comme ci-
dessus et avec les mêmes soins. Quand les reines sont fécondes, on les introduit dans des essaims qu'on prépare
comme il a été dit § 152 et suivants. On a préparé d'autres
alvéoles qu'on insère à leur tour dans les ruchettes pour
se servir encore des reines. Je ferai remarquer que quand
on emploie cette méthode, qui est celle dont se servent les
meilleurs éleveurs de reines italiennes, il faut avoir la
précaution de laisser la mère pondre pendant quelques
jours dans la ruchette avant de l'enlever, afin qu'il y ait
du couvain dans la ruchette au moment de la sortie d'accouplement de la reine ; sans cette précaution, on courrait le risque de voir la population partir avec la mère pour
ne plus revenir, § 134.

§ 171 *bis*. S'il arrivait que l'essaim ait besoin d'abeilles,
il faudrait lui en donner. Pour cela on pourrait, après l'a-
voir gorgé, § 182, lui donner des abeilles d'une autre ruchée, agir dans le milieu du jour pour prendre moins de
butineuses et plus de jeunes. Ce moyen est quelque peu
incertain, tant parce que les abeilles peuvent s'entretuer
que parce qu'on ne connait pas assez la quantité qui restera dans l'essaim ; il vaut mieux employer le suivant : on
met dans une ruche vide un rayon contenant un peu de
miel ou d'eau sucrée et on y enferme les abeilles qu'on

veut ajouter à l'essaim ; puis le soir ou le lendemain matin, ou deux jours après seulement, on introduit les abeilles dans l'essaim. Ayant été privées de mère pendant plus de six heures, elles accepteront la nouvelle colonie et seront acceptées par elle.

§ 172. Dans les diverses méthodes que je viens d'indiquer, on monte progressivement l'essaim, en préparant des alvéoles d'abord avec un rayon de couvain et quelques abeilles ; puis l'essaim acquiert une reine pondeuse ; puis on lui rend du couvain. C'est donc progressivement qu'on l'établit. De là le nom que j'ai donné à cette sorte d'essaimage. Les partisans des méthodes différentes, chasse et division, trouveront que les opérations de l'essaimage progressif sont plus longues. Ceux qui les emploieront reconnaîtront que cette longueur n'est qu'apparente et que le résultat est incomparablement supérieur à celui obtenu par les autres méthodes.

CHAPITRE VIII.

Abeilles italiennes.

§ 173. Je mets ici ce chapitre parce que l'introduction
des abeilles italiennes et leur élève consistent à suivre les
méthodes que nous avons vues dans le chapitre précédent.

L'abeille italienne est grandement supérieure à l'a-
beille commune (¹) Elle est plus active, travaille plus tôt
le matin et rentre plus tard ; son vol est plus vif ; elle est
plus douce, moins pillarde. Lorsqu'on lève les rayons
d'une ruchée noire, toutes les abeilles effrayées se ras-
semblent en grappe au-dessous et tombent à terre, puis
de là vont souvent s'introduire dans le pantalon de l'apiculteur. Les abeilles italiennes restent plus paisibles ; elles
adhèrent mieux aux rayons et il faut employer un panneau ou, ce qui est mieux, un petit balai de graminées de
marais pour les déloger. Les mères italiennes ne fuient
pas comme les noires et sont aisément trouvées sur les
rayons à cause de leur couleur jaune. Elles déposent leur

---

(1) C'est surtout dans les années de disette qu'on peut constater l'immense
supériorité des italiennes sur les abeilles noires. Cette saison, 1873, ayant été
ici la plus mauvaise qu'on ait éprouvée depuis quinze ans, mes ruchées noires
n'ont pu faire, dans toute la saison, assez de miel pour passer l'hiver, tandis
que toutes mes italiennes, non-seulement ont fait largement leurs provisions,
mais même m'ont donné du miel. Trois ont donné de 25 à 35 kilog. de surplus,
pris au moyen du mélateur ou fourni à des colonies nécessiteuses. Il résulte
de mon observation que la meilleure de mes ruchées noires a récolté quarante kil. (40 kil.) de moins que la meilleure de mes italiennes. Je ne m'explique pas d'où ce miel peut provenir, à moins que ce ne soit de fleurs trop
éloignées pour que les noires aient la force ou le courage d'y aller, ou à corolles trop profondes pour que les noires puissent atteindre leurs nectaires.
Les hybrides de tous grades ont fait mieux que les noires, mais beaucoup
moins bien que les italiennes pures.

couvain d'une manière plus compacte. Les ouvrières italiennes se défendent mieux que les ouvrières communes du pillage et des teignes ; elles ont aussi la trompe quelque peu plus longue, ce qui leur permet de visiter certaines fleurs inabordables aux noires.

§ 174. L'abeille italienne a trois anneaux jaunes, en y comprenant le premier qui porte l'attache de l'abdomen au corselet ; elle est de même taille que l'abeille noire, quoiqu'elle paraisse plus grande quand son sac est rempli de miel, ce qui tient à ce que ce sac est plus grand ; son abdomen est couvert de poils fauves et en forme de fuseau.

§ 175. Je ne saurais trop engager les apiculteurs à introduire cette bonne race dans leur rucher. Les plus belles italiennes se trouvent, non dans les Alpes, comme je l'ai écrit il y a quelques années, mais dans l'Italie centrale : Lombardie, Vénétie.

§ 175 *bis*. Nous avons vu, § 83, que les mâles n'ont aucune parenté avec le mâle qui a fécondé leur mère. Cela étant, quand on veut italianiser un rucher, on se procure une ou mieux plusieurs mères italiennes ; on leur fait produire des reines, § 148, sans s'inquiéter si celles-ci ne s'accoupleront qu'avec des mâles communs. Au printemps suivant, ces reines mésalliées donneront des mâles purs qui pourront servir à féconder les femelles qu'on élèvera.

§ 176. Il y a plusieurs méthodes pour obtenir des alliances pures d'italiennes quand on est entouré de ruchées communes. La première consiste à nourrir avec soin, dès février, la ruchée à qui on veut faire produire des mâles : on a le soin, quand elle commence à prendre de la force, de lui mettre un rayon à cellules de mâles au milieu des rayons qui ont le plus de couvain ; la mère n'ayant pas d'autres cellules aussi bien échauffées, est forcée d'y pondre. On peut ainsi obtenir des mâles quinze jours au moins avant l'époque où ils paraissent dans les ruchées communes du voisinage. Quand les mâles pondus ont clos leurs cellules, on prive une ruchée d'italiennes pures de sa reine et on agit comme il est dit aux §§ 148 à 172.

§ 177. Si on a laissé passer ce moment favorable, on emploie la méthode suivante : on fait produire des mâles italiens, comme ci-haut, et on élève des mères comme pour l'essaimage artificiel par progression, § 148 et suivants. Deux ou trois jours après qu'on a introduit les alvéoles, on porte dans un endroit obscur, à la cave, les ruches qui élèvent des reines ; on y porte aussi la ou les ruches qui ont des mâles italiens. On a soin d'enfermer toutes ces ruches en leur donnant un peu d'eau, § 154. Dix jours après l'insertion des alvéoles, vers dix heures du matin, on reporte toutes ces ruches à leur place, on les ouvre et on donne à chacune quelques cuillerées d'eau sucrée tiède. La population est mise en mouvement par cette distribution et les mâles, ainsi que les reines à féconder, sortent deux heures avant la sortie des mâles des autres ruches, qui ne sortent guère avant midi. Il n'est pas besoin de faire remarquer qu'il faut, pour cette opération, profiter d'un beau jour.

§ 178. Plusieurs apiculteurs ont prétendu, ces derniers temps, être arrivés à obtenir des accouplements en boîtes closes ; mais, après essai, il s'est trouvé que tout ce qu'on racontait n'était qu'erreur chez les uns, charlatanisme chez la plupart.

CHAPITRE IX.

Colère des abeilles.

§ 179. Nous avons vu, § 18, que l'abeille ouvrière est munie d'un aiguillon. Elle ne s'en sert que lorsqu'elle est blessée ou se croit menacée. Il est donc indispensable que celui qui soigne les abeilles agisse avec précaution, pour ne pas blesser et pour ne pas irriter les ouvrières.

On doit, lorsqu'on approche d'une ruche, marcher lentement, ne pas gesticuler, tout mouvement brusque pouvant être considéré comme des menaces pour les gardiennes.

§ 180. Lorsqu'on ouvre une ruche, il faut éviter toute secousse, tout choc, lever les rayons lentement et éviter de souffler sur les abeilles. Si une abeille menace, ce qu'on reconnaît à son vol et à son bourdonnement strident, il faut se retirer à quelques pas, se baisser ou se mettre la tête dans un buisson, jusqu'à ce que sa colère soit apaisée.

§ 181. Si on est piqué, il faut se retirer à l'écart pendant quelques secondes, pour donner à l'odeur du venin le temps de s'évaporer; cette odeur irrite les abeilles, qui ne tarderaient pas à infliger d'autres piqûres.

§ 182. On a reconnu qu'une abeille gorgée de miel ne pique pas. Quand on a une opération un peu longue à faire, on doit donc gorger les abeilles, surtout en automne; car elles sont plus méchantes à cette époque qu'à toute autre. Pour les gorger, on répand dans la ruche un peu d'eau

sucrée. Aucune abeille ne refuse de se gorger quand elle
en trouve l'occasion. On attend quelques minutes pour
leur donner le temps de se remplir.

§ 183. On peut aussi faire gorger les abeilles en les effrayant. Pour cela, on lance dans la ruche quelques bouf-
fées de fumée (¹), on la ferme et on la tapotte pendant
deux ou trois minutes. Au bout de ce temps, on pourra
faire toutes les opérations voulues, sans avoir à éprouver
la moindre piqûre, à moins qu'on ne blesse une abeille
avec les doigts. On peut même se passer de fumée; le
tapotement suffit.

§ 184. Il n'y a pas de remède connu comme efficace
pour détruire le venin de l'abeille. Tous ceux qu'on a
préconisés échouent la plupart du temps, parce qu'aucun
ingrédient ne peut pénétrer dans la peau et aller neutra-
liser le venin dans le fond de la blessure. Ce qu'il y a de
mieux à faire, c'est de tâcher d'oublier la piqûre et de ne
pas la toucher.

§ 185. Cependant, si la piqûre était dans un endroit très
douloureux, les compresses d'eau froide feraient bientôt
cesser l'inflammation. Si on avait éprouvé un grand nombre de piqûres, on ferait bien, pour en atténuer les effets,
de s'envelopper de la tête aux pieds dans un drap mouillé
et de se couvrir de mantes de laine. Le bain de vapeur
qui en résulterait terminerait vite les souffrances et préviendrait les conséquences qui pourraient suivre.

---

(1) Pour enfumer les abeilles, je me sers d'un simple fumeron fait de bois
pourri. J'ai vu à Milan un fumeron de chiffons de coton ou de toile roulés et
enfermés dans un tube de ferblanc ouvert aux deux bouts, de la grosseur de
trois centimètres. Ce petit instrument m'a paru très convenable : il évite l'ennui de lier le fumeron ou de l'enduire de bouse de vache, comme certains apiculteurs le recommandent. A mesure que le chiffon brûle, on le pousse dans
le tube. Pour l'éteindre, il suffit de le retirer dans le tube et de piquer celui-
ci en terre, le bout allumé en bas.

§ 186. Dans le cas où un animal serait piqué par des abeilles, on préviendrait tout accident en lui faisant prendre un bain, d'une demi-heure au moins, ou en l'enveloppant de couvertures arrosées d'eau froide.

§ 187. Il est toujours prudent de se garantir la figure des piqûres, par un voile. Le plus simple est une gaine de tulle noir léger, qu'on attache autour du cordon d'un chapeau à larges bords, au moyen d'une tresse de caoutchouc ; ce voile descend à 25 ou 30 centimètres au bas de la figure ; on le clot par en bas, en l'insérant dans le gilet. On peut aussi mettre une tresse élastique au bas, fermant sur le cou.

On ne doit jamais mettre de gants ; ils ont l'inconvénient de rendre maladroit, ce qui irrite les abeilles. Les piqûres sur les mains sont peu douloureuses et n'enflent que rarement, surtout si on y est habitué ; alors les piqûres ont peu d'effet.

CHAPITRE X.

Maladies des abeilles.

§ 188. *Dyssenterie.* — La dyssenterie est une maladie qui attaque, en hiver, les ruchées qui sont trop faibles en population pour bien échauffer leur ruche, ou qui ont eu pour nourriture du miel récolté tard et non évaporé. Aussitôt que les beaux jours reparaissent, les abeilles pouvant se vider, sont bientôt remises. (Voir soins à donner, § 287 et suivants.)

§ 189. *Peste du couvain, ou loque.* — Cette maladie cause souvent la perte de ruchers entiers. Quand une ruchée en est atteinte, ses larves meurent pendant leur transformation et se putréfient dans les cellules, sans que les abeilles puissent les enlever. La loque peut n'être qu'accidentelle, alors on guérit la ruche en retranchant les rayons qui en sont atteints. Quand elle est contagieuse, on n'a pas d'autre moyen pour la combattre que de chasser les abeilles dans une boîte, de les nourrir pendant 48 heures avec du bon miel avant de les remettre dans une ruche bien propre. Quant aux rayons et à la ruche, il faut tout enfouir. Le miel pourra être utilisé ; mais si on veut le donner en nourriture aux abeilles, il faudra avoir soin de le faire bouillir auparavant. On ne connaît pas encore l'origine de cette maladie que je n'ai jamais vue dans mon rucher.

CHAPITRE XI.

Ennemis des abeilles.

§ 190. Les *souris* attaquent les ruches en paille pendant l'hiver, et celles qui ont une entrée assez haute pour qu'elles puissent y pénétrer. On n'a rien à craindre de ces rongeurs avec des ruches en planches bien peintes et n'ayant que des entrées de 7 à 8 millimètres de hauteur.

§ 191. Le *sphinx à tête de mort* s'insinue parfois dans les ruches pour y chercher du miel. Avec des entrées basses, comme ci-haut, il ne peut y pénétrer.

§ 192. Les *guêpes* sont peu à redouter, les *fourmis* non plus, car elles ne pénètrent guère dans les ruches, non plus que les *cloportes*. Les *araignées* sont plus à craindre.

§ 193. Les *oiseaux* détruisent quelques abeilles, les hirondelles surtout ; mais ces déprédations sont peu sensibles. Il en est de même des *crapauds*, des *grenouilles* et *lézards*, qu'on fera bien de ne pas tolérer près des ruches.

§ 194. La *teigne* est un papillon de nuit qui entre dans les ruches faibles pour y déposer ses œufs. Il sort de ceux-ci des larves qui mangent la cire et qui garnissent la ruche de toiles. On n'a rien à craindre de cet ennemi si on a le soin d'entretenir les ruches populeuses. Les abeilles italiennes se débarrassent mieux des teignes que les abeilles communes.

§ 195. Les *poux*. Je ne puis parler de cet ennemi, ne l'ayant jamais vu ; mais il paraît qu'il porte peu de préjudice aux abeilles. On ne le voit, dit-on, que dans les vieux ruchers mal tenus.

CHAPITRE XII.

Pillage des ruchers.

§ 196. Quand le miel est rare dans la campagne, les abeilles butineuses, qui en sentent dans les ruches dont elles s'approchent, cherchent à y pénétrer pour en voler. Si la ruchée dont les provisions sont convoitées n'est pas bien gardée et qu'une abeille étrangère s'y introduise, elle ne tardera pas à y revenir avec d'autres et la ruche sera en danger de pillage.

§ 197. *Pillage latent.* — On nomme pillage latent un pillage pour ainsi dire insensible, auquel certaines ruches sont parfois exposées. Il provient toujours de la faiblesse de la colonie. Si, par suite de son peu de population, une ruchée n'a de gardiennes que tard dans la matinée, et que quelques abeilles de ruches plus fortes et mieux éveillées y pénètrent sans être arrêtées, elles y entrent bientôt par habitude aussi hardiment que dans leur ruche propre et elles ne sont pas arrêtées par les gardiennes à cause de leurs allures hardies qui ne décèlent pas leur but; car les pillardes, d'ordinaire, ne se hasardent qu'avec des précautions qui mettent les gardiennes sur leurs gardes. On reconnaît ce pillage quand on voit le matin des abeilles sortir d'une ruche faible et qu'elles sont alourdies par le miel. On s'en assure en prenant l'abeille entre ses doigts et en la pressant; elle dégorge son miel. Pour arrêter ce pillage, il faut donner un bon rayon de couvain clos à la ruche, en la rétrécissant, et l'enfermer le soir pendant

6

quelques jours, pour ne lui donner la liberté que le matin assez tard, lorsque ses gardiennes sont à leur poste.

§ 198. *Pillage actif.* — Toutes les fois qu'on ouvre
une ruchée pendant la disette de miel, les abeilles des ruchées voisines viennent essayer de piller. Si, après l'opération, on n'a pas soin de rétrécir l'entrée jusqu'à ce que
le calme soit rétabli et que la colonie ait replacé ses gardiennes, les abeilles qui ont pu pénétrer dans la ruche
pendant qu'elle était ouverte, reviennent, forcent l'entrée,
mettent le trouble dans la colonie. Si on ne vient pas au
secours de la ruchée, elle court le risque d'être pillée de
fond en comble, surtout si dans l'opération on a laissé
couler du miel.

§ 199. Le pillage actif peut aussi se produire lorsque,
par un temps de rareté de récolte, on donne du miel aux
abeilles aux alentours du rucher. Il faut donc éviter avec
soin de laisser les abeilles trouver du miel ou même de
l'eau sucrée près du rucher. Si on a quelque miel de rebut à faire lécher, on doit le mettre dans les ruches le
soir, crainte du pillage.

§ 200. Pour venir au secours d'une ruche pillée, il faut
se souvenir de ceci : une ruche forte est rarement pillée ;
les colonies faibles ou privées de mère sont toujours exposées. Une colonie ayant une mère n'est pas faible si elle
n'a à garder qu'une place en rapport avec sa population.
Dès qu'on s'aperçoit qu'une ruche est pillée, la première
chose à faire c'est de s'assurer qu'elle a une mère pondeuse, si on n'en est pas certain. On doit se souvenir aussi
de l'instinct qu'ont les abeilles d'en ramener d'autres de
leur ruche à l'endroit où elles ont trouvé des provisions.
Il faut donc faire en sorte de laisser toutes les abeilles pil-

lardes quitter la ruche sans y rentrer, car si une d'elles
seulement y restait, elle en ramènerait d'autres aussitôt
libre. Voici comment on atteint ce résultat : on peut promener la ruche, en la changeant de place, pendant un
quart d'heure et lui faisant faire des stations de 3 ou 4
minutes à cinq ou six mètres l'une de l'autre. Les pillardes reviennent à l'endroit où la ruche était quand elles
l'ont quittée, et ne la retrouvant plus sont déroutées et
découragées. Avant de la remettre à sa place, on établit
devant son entrée une cour couverte en toile métallique de
0m 25 environ de longueur (*Fig. 1re*). Les abeilles peuvent
sortir, mais ne peuvent retrouver le chemin pour rentrer.
Le soir, quand le rucher est calme, on ôte la toile métallique pour laisser rentrer les abeilles de la ruche qui n'auraient pas eu l'instinct de trouver le passage. On peut encore laisser la ruchée pillée à sa place et établir la cour
grillée comme ci-dessus ; mais il est à craindre que, dans
le nombre des pillardes qui sortent, il ne s'en trouve d'assez intelligentes pour trouver la nouvelle entrée. Pour
prévenir cet inconvénient, on met la sortie obliquement
d'un sens, on surveille le départ des pillardes, et, quand
il n'en reste qu'un petit nombre, on tourne l'entrée de la
cour d'un autre côté.

§ 201. Par précaution on fera bien, le même soir, d'ouvrir la ruche pour rétrécir la place et de lui donner quelques jeunes italiennes ; celles-ci se chargeront de chasser
les abeilles étrangères qui se présenteraient. J'ai souvent
employé ce moyen, qui a toujours réussi, quand j'avais
des ruchées noires qui n'avaient pas l'instinct de se défendre.

CHAPITRE XIII.

Achat et transport des ruchées.

§ 202. Le meilleur moment pour acheter des ruchées
est le mois de février ; l'hiver est presque passé, et si on
reconnaît que la ruchée a du miel et du couvain, les
chances de perte sont très petites. On doit, autant que
possible, acheter des colonies qui aient essaimé la saison
précédente, parce qu'elles ont des jeunes mères. puisque
la vieille sort toujours avec le premier essaim, § 116. A
circonstances égales, un second essaim. quand même il
n'aurait pas toutes ses bâtisses, vaut mieux qu'un premier
essaim, parce qu'il a une jeune reine, § 129. On ne doit
pas trop se préoccuper de l'âge des bâtisses, § 34 ; mais
on doit donner la préférence à celles qui sont bien parallèles et qui ont le moins de rayons de mâles, § 23. On
doit aussi donner la préférence à une grande ruche sur
une petite, § 94.

§ 203. Le transport des ruches est facile par un temps
frais ; cependant, s'il était trop froid, il faudrait prendre
la précaution de faire échauffer les bâtisses par les abeilles,
pour rendre les rayons moins friables. A cet effet, on prépare la colonie quelques minutes avant de se mettre en
route ; les abeilles, troublées, produisent la chaleur voulue et les rayons résistent mieux. Si la ruchée à transpor-
ter est en ruche à rayons fixes (ruche commune), on la
pose sur un linge clair qu'on fixe tout autour au moyen
de ligatures, si la ruche est ronde, ou de lattes minces

clouées autour, si elle est carrée, on retourne ensuite la ruche avec précaution et, autant que possible, dans le sens des rayons, et on la porte dans le véhicule.

§ 204. Si la ruchée est à rayons mobiles, on ferme l'entrée au moyen d'une toile métallique ; on lui donne de l'air par le haut en enlevant le plafond ou la toile qui couvre les rayons ; on assujettit les cadres s'ils en ont besoin, et on cloue la ruche sur son plancher et le chapiteau sur la ruche.

§ 205. En tous cas, on doit se servir d'un moyen de transport doux, crainte d'accident. Une épaisse couche de paille suffit, d'ordinaire, pour adoucir suffisamment les cahots, à moins qu'ils ne soient trop rudes.

§ 206. La ruche amenée à sa place doit recevoir la liberté au plus tôt. Cependant, s'il y a d'autres ruchées auprès, il vaut mieux attendre au soir, crainte de pillage. Dans ce cas, on soulèvera la colonie amenée sur des cales, pour qu'elle ait assez d'air. En leur donnant la liberté, ne pas oublier la précaution du bout de planche indiqué au § 154.

§ 207. Les transports d'été ou d'automne exigent plus de précautions, plus d'air, plus de soins pour éviter les secousses, que ceux d'hiver ou de printemps, parce que les abeilles sont plus nombreuses et les rayons plus alourdis par le miel. On mettra donc sur la ruche commune une hausse bien ventilée par de la toile métallique. Quant à la ruche à cadres, la suppression du plafond, indiquée § 204, suffira.

CHAPITRE XIV.

Les ruches.

§ 208. Je ne décrirai par les différentes ruches à rayons fixes, ou ruches communes ; je me contenterai de dire que, parmi leurs quatre formes, la moins mauvaise est celle à chapiteaux. Vient ensuite la ruche à divisions verticales, puis la ruche d'une seule pièce. Quant à la ruche à hausses, c'est, à mon avis, la plus mauvaise de toutes.

§ 209. Les ruches à rayons mobiles peuvent se ranger dans quatre classes ; les ruches à rayons mobiles proprement dites, qui consistent en caisses contenant de simples planchettes sous lesquelles les abeilles attachent leurs rayons. Ces ruches exigent une telle habileté de la part de leur propriétaire, que je ne m'en occuperai pas.

§ 210. Les ruches à feuillets ou en livres, ou ruches Huber, formées de cadres dont les planchettes sont assez larges pour que, réunies, elles forment une ruche sans le secours d'une boîte pour les contenir, ne peuvent non plus s'adapter à une culture profitable. Je ne m'y arrêterai pas non plus.

§ 211. Les ruches à cadres ouverts, connues sous le nom de ruches Bastian, étant semblables, pour la culture, aux ruches dites à cadres, et étant moins bonnes que ces dernières, je vais passer à la discussion de la forme qui, après des essais de dix ans, m'a donné les meilleurs résultats, et je décrirai les changements que j'y ai introduits.

Ruche Langstroth.

§ 212. La ruche Langstroth a été inventée dès 1851 ; et, malgré ses quelques défauts, elle est encore considérée comme meilleure que beaucoup d'autres plus nouvelles, par bon nombre d'apiculteurs. Cette ruche contient dix cadres de quarante-deux centimètres de longueur sur vingt-deux de hauteur. Elle a le défaut d'avoir un plancher cloué ; de porter à l'avant un portique plus nuisible qu'utile, et de n'avoir rien pour tenir ses cadres en place dans le bas.

Ruche Quinby.

§ 213. M. Quinby a modifié la ruche Langstroht en augmentant sa largeur et surtout sa hauteur, en lui donnant un plancher mobile et en attachant au bas un dentier, qui empêche les cadres de frotter les uns contre les autres. Le nombre des cadres a été réduit à huit, quoique la capacité ait été augmentée (*Fig. 9*).

§ 214. Le corps de ruche est fait : de deux planches pour le devant et l'arrière, larges de trente-deux centimètres (0m32), longues de trente et demi (0m 305). Ces deux planches ont chacune une rainure au rabot de douze millimètres carrés (0m 012 × 0m 012). Ces rainures, placées au-dessus et en dedans, quand la ruche est clouée, servent à recevoir les projections ou oreillettes des cadres. La planche de devant porte au bas une entaille de vingt centimètres de long sur huit millimètres de haut (0m 20 ×

0,008), qui servira à l'entrée des abeilles. Deux planches de même hauteur (0ᵐ 32) sur cinquante-cinq de long (0ᵐ 55), sont clouées sur celles de devant et d'arrière, pour former une boîte longue. Si les planches d'avant et d'arrière avaient plus de deux centimètres et demi d'épaisseur, il faudrait augmenter la longueur des planches des côtés, de manière à ce que la boîte, dans-œuvre, ait cinquante centimètres de long (0ᵐ 50)

§ 215. Ce corps de ruche est muni tout autour, à l'extérieur, et à deux centimètres du dessus, d'un liteau carré de deux centimètres et demi (0ᵐ 025 × 0ᵐ 025), cloué tout autour pour recevoir le chapiteau qui couvre la ruche.

§ 216. Le chapiteau est une caisse de vingt centimètres de profondeur, dont le fond est formé de planches qui débordent tout autour de un ou deux centimètres. On le place sur le corps de ruche; il porte sur les liteaux ci-dessus (*Fig. 3*).

§ 217. Le plateau de la ruche est en planches, clouées sur deux membrures de chêne, de 0ᵐ 32 de longueur. Ce plateau a de soixante-quinze à quatre-vingts centimètres de long, sur trente-six de large (0ᵐ 75 × 0ᵐ 36).

§ 218. Les cadres, au nombre de huit, sont faits de lattes de vingt-deux millimètres de largeur, sur sept et demi d'épaisseur (0ᵐ 022 × 0ᵐ 0075). La latte supérieure a cinquante-deux centimètres de longueur (0ᵐ 52). On cloue sous elle, à égale distance des deux bouts, une autre latte plus forte de quinze millimètres d'épaisseur (0ᵐ 015 × 0ᵐ 022), sur quarante-six de longueur. On coupe une autre latte de quarante-six cent. de long (0ᵐ 46 × 0ᵐ 0072), et avec deux autres, de vingt-neuf et demi de long (0ᵐ 295 × 0ᵐ 0072), on fait un cadre ayant dans-œuvre quarante-six sur vingt-six (0^m 46 $\times$ 0^m 263). On fera bien d'imaginer une planche à clouer, pour faire vite et bien (*Fig. 4.*

§ 219. Quand un cadre est dans la ruche, il doit porter dans les rainures, en laissant deux à trois millimètres de jeu à chaque bout du porte-rayon, ou planchette supérieure. Ses côtés doivent se trouver à huit ou dix millimètres des parois antérieure et postérieure, et il doit descendre à un centimètre et demi, à peu près, du plateau. Enfin, si on mettait une règle, portée par le devant et l'arrière de la ruche, il doit y avoir un intervalle de cinq à sept millimètres entre le dessus des cadres et le dessous de la règle placée sur la ruche.

Ces distances sont suffisantes pour que les abeilles puissent circuler tout autour des rayons, et trop petites pour qu'elles puissent y construire des alvéoles. C'est la connaissance de la largeur de cet espacement qui, manquant à Debeauvoys, l'a empêché de produire une ruche facile à gouverner.

§ 220. Langstroth et Quinby couvrent leur corps de ruche d'un plafond mobile, qu'ils ont baptisé du nom de *honey-board* (planche à miel), parce que, sur cette planche, ils établissent des boîtes de verre pour recevoir la récolte. J'ai tout-à-fait abandonné cette planche ; je la remplace par une toile de coton écru, bien serrée et forte, que j'achète sans apprêt et que j'amidonne fortement de chaque côté, avec de l'eau d'amidon cuit ou de la colle de pâte, afin que la toile n'ait plus de plucheux. C'est le duvet de coton ou de fil qui engage les abeilles à trouver les toiles qu'on peut leur donner. Cette toile est coupée juste de la longueur et de la largeur du dessus de la chambre à couvain, ou corps de ruche. Les bords de ces toiles sont plongés dans de la cire chaude.

§ 221. Quand les abeilles ne trouvent plus de miel et que l'hiver s'annonce, je remplace la toile par un couvercle de papier que je fais ainsi : Je coupe quatre lattes de cinq centimètres environ de largeur, sur un d'épaisseur ; deux de ces lattes ont cinquante-six centimètres de longueur (0^m 56 $\times$ 0^m 05 $\times$ 0^m 01) ; les deux autres ont trente-et-un centimètres de long (0^m 031 $\times$ 0^m 05 $\times$ 0^m 01). J'obtiens ainsi un anneau carré de cinq centimètres de largeur. Je couvre un des côtés de cet anneau d'un papier gris ou jaune d'emballage, que je colle en dehors contre les lattes. Je couvre ce papier de deux autres épaisseurs ne débordant pas sur ces lattes ; puis, sur ces deux épaisseurs, j'en colle une quatrième, comme la première. J'obtiens ainsi une espèce de boîte à fond de papier de cinq centimètres de profondeur, sur cinquante-quatre dans-œuvre de longueur et trente-et-un de largeur, qui s'adapte très bien sur la ruche (*Fig. 5*).

§ 222. Il faut remarquer que si on pose ce couvercle trop tôt, ou si on l'enlève trop tard, c'est-à-dire avant que les abeilles soient au repos d'hiver, ou après qu'elles sont réveillées par le printemps, il sera rongé par elles. J'ai donc soin de le mettre tard en automne et de le lever de bonne heure au printemps. Quand je le lève, je mets la toile, § 220, et je place le couvercle de papier dessus ; il suffit pour la bien appliquer sur la ruche.

§ 223. Pour éviter tout tâtonnement, quand je mets ou remets les rayons dans la ruche, j'ai préparé une règle sur laquelle j'ai tracé la place que chaque cadre doit tenir et son intervalle. Je pose cette règle contre la tranche de la rainure de la ruche, et avec un crayon je trace un demi-intervalle de huit millimètres, puis la place du cadre, de

vingt-deux millimètres, puis un intervalle de seize millimètres, un cadre de vingt-deux, etc.; la règle portant
ces marques me permet de les faire extrêmement vite
(*Fig. 6.*)

§ 224. Les cadres n'ont entre eux aucun point de contact. Ils n'ont avec la ruche d'autre contact que par leurs
oreillettes ou prolongements du porte-rayon. Pour qu'ils
ne s'appuient pas l'un contre l'autre, quand on change la
ruche de place, M. Quinby a imaginé de mettre en travers de la ruche, au bas, un dentier qui, allant d'un côté
à l'autre et chaque dent entrant entre deux cadres, maintient les écartements. Son dentier étant long à fabriquer,
je l'ai simplifié en le faisant d'un seul fil de fer de la
grosseur de la ficelle à fouet. Les dents de ce dentier ont
environ quatre centimètres de long ; elles sont séparées
par des intervalles de vingt-deux millimètres, de sorte
que le dentier ressemble à une suite de V majuscules ren-
versés, séparés par des intervalles de vingt deux millimètres ∧_∧_∧_∧_ ∧_∧_∧_∧. Pour assujettir ce
dentier à la ruche, quand j'ai compté mes huit intervalles,
je fais, avec une alène, un trou oblique en descendant, à
quatre centimètres du bas de la ruche, de chaque côté, et
j'y enfonce, à coups de marteau, les branches des deux ∧
des bouts.

§ 225. Quand on veut faire voyager une ruche, si on
craint que la propolis, § 41, ne soit pas suffisante pour
coller les oreillettes du cadre assez fortement, on fait deux
dentiers semblables et on les établit sur la ruche à chaque
bout des rayons, sans clouer ceux-ci.

§ 226. Ces dentiers étant longs et difficiles à faire à la
main, j'ai inventé un outil avec lequel je les fais très vite

et très bien. Prenez une planche d'environ quarante-cinq centimètres de long sur quinze à vingt millimètres d'épaisseur et huit centimètres de largeur ($0^m 45 \times 0^m 015 \times 0^m 08$) ; préparez deux autres planchettes de même longueur et épaisseur, mais n'ayant que trois centimètres de largeur chacune ($0^m 45 \times 0^m 015 \times 0^m 03$) ; clouez une de ces planchettes sur la première, à plat, de manière à ce que la large planchette la désaffleure de cinq millimètres environ ($0^m 005$) d'un côté (*Fig. 7*).

Avant de clouer ou visser cette planchette sur l'autre, il faut percer dans sa tranche un trou à dix centimètres de chaque bout. Dans ces trous, on enfoncera au marteau deux goujons de fil de fer de cinq millimètres de diamètre. Ces goujons en place doivent sortir de la planchette pour entrer dans deux trous faits vis-à-vis, dans la tranche de l'autre planchette qui, par ce moyen, peut avancer ou reculer en glissant.

Pour maintenir ces deux planchettes momentanément écartées, placez entre elles deux petites règles de douze centimètres de long sur quinze millimètres carrés ($0^m 12 \times 0^m 015 \times 0^m 015$). Ces règles, placées entre ces goujons et les bouts des planchettes, les débordent par bouts, de deux centimètres, ce qui permet de les retirer aisément.

L'outil étant ainsi préparé, tracez au crayon une ligne droite et d'équerre, traversant les deux planchettes, à deux centimètres d'un des bouts ; puis une autre ligne à trente-sept millimètres de la première ; puis une troisième à trente-sept de la seconde, etc. ; onze en tout dans la longueur. Tracez une ligne longitudinale au milieu de chacune des deux planchettes ; vissez alors sur la planchette fixe une vis de deux centimètres de long (0ᵐ 02) à chaque point d'intersection des lignes, de manière à ce que chaque vis déborde de cinq millimètres (0ᵐ 005), douze vis sur la longueur.

Placez sur la ligne longitudinale de la planchette mobile un rang de vis semblables, double en nombre ; mettez deux vis entre chaque ligne de crayon et ayez le soin que chacune des vis de ces couples soit écartée de dix-huit millimètres (0ᵐ 018) de l'autre.

Il faut qu'il y ait entre chaque ligne de crayon deux vis également écartées des lignes de crayon et ayant entre elles un écartement de dix-huit millimètres. Toutes ces indications sont de centre à centre. L'outil est alors terminé. Pour s'en servir, on prend du fil de fer non recuit, on courbe le bout sur la première vis de la planchette fixe, en mettant le bout du fil de fer en dehors ; on fait passer le fil de fer au-dessous de la première paire de vis de la planchette mobile, puis au-dessus de la deuxième vis de la planchette fixe, puis au-dessous de la seconde paire de la planchette mobile, etc ; puis on rogne le fil de fer à trois centimètres de la dernière vis. Le moule est pour onze cadres ; mais on peut couper le fil de fer après huit tours, si on n'a que huit cadres dans la ruche.

Pour sortir le dentier du moule, on retire les deux petites cales, on fait glisser la planchette mobile qui se rapproche de la fixe et on dégage le fil de fer ; il ne reste plus qu'à lui donner un coup de pouce pour obtenir des dents également écartées.

§ 227. Les apiculteurs qui désireront empêcher presque tout-à-fait l'essaimage naturel, devront adopter des ruches plus larges, munies de diaphragmes. Ces ruches devront avoir quarante-deux centimètres de largeur pour onze cadres ou quarante-cinq et huit dixièmes (0m 458) pour douze cadres. Il ne s'agit que de couper les planches de l'avant et de l'arrière de la ruche plus longue, et tout ce qui en dépend dans la même proportion.

§ 228. J'emploie exclusivement aujourd'hui ces ruches à onze cadres. Je ne leur mets que huit cadres et deux planches de partitions ou diaphragmes (*Fig. 8*). Ces diaphragmes sont faits de planches de vingt-neuf centimètres et demi de large sur cinquante centimètres de long (0m 295 × 0m 50) ; je cloue sur un des côtés de chacune de ces planches une latte de cinquante-quatre centimètres de long sur quinze millimètres d'épaisseur (0m 54 × 0m 015), de manière à ce que cette latte déborde de chaque bout également. Ces prolongements servent à la suspendre, comme les cadres, en posant dans les rainures de la ruche. Comme ces planches sont trop courtes d'un demi-centimètre à chaque bout pour bien joindre les parois antérieure et postérieure de la ruche, je leur mets un coussin à chaque bout en clouant une gaîne de toile semblable à celle décrite § 220, au moyen d'un petit mandrin, et en emplissant cette gaîne de paille peignée. Je me sers de clous à tapisserie. Ces deux coussins étant élastiques, les diaphragmes sont faciles à mettre et à retirer. Les huit cadres se trouvent ainsi placés entre deux espaces vides qui les protègent bien contre les froids de l'hiver. Il reste une place vide entre un diaphragme et la paroi, puisque la ruche, qui peut contenir onze cadres, n'en a que huit et deux diaphragmes ; cette place est très commode. Quand je veux visiter les rayons, je lève le diaphragme et le mets dans la place vide ; après avoir visité le premier cadre, je

le descends où était le diaphragme ; le second cadre prend
la place du premier ; le troisième la place du second, etc.
Le second diaphragme prend la place que le huitième
cadre occupait, la place libre se trouvant alors du côté
opposé à celui où elle se trouvait avant l'opération. Chaque
cadre n'ayant été touché qu'une fois, la visite n'a duré
qu'une ou deux minutes ; les abeilles n'ont pas eu le temps
de se fâcher, ni les pillardes celui d'arriver.

§ 229. Une autre amélioration introduite à la ruche
Quinby consiste à se servir, pour les côtés de la ruche,
de planches plus larges. On les coupe, comme il a été dit
§ 114, de cinquante-six centimètres de long ; mais on leur
donne trente-quatre et demi de large (0m 56 × 0m 345). On
fait à ces deux planches une rainure de quinze millimètres
de largeur sur deux centimètres et demi de hauteur
(0m 015 × 0m 025) ; ces rainures devront être, quand la
ruche sera clouée, en dedans et au bas. On clouera, contre
l'arrière de la ruche, une planche de même largeur que
ci-dessus et de trente-cinq centimètres et demi de longueur (0m 345 × 0m 355) *Fig. 9.*

Le but des améliorations du paragraphe précédent est
de faire que le plateau ou plancher entre dans la ruche de
trois côtés, savoir : par derrière et entre les deux rainures
des côtés. Il en résulte que la pluie, battant contre la
ruche, ne peut pénétrer sur le plancher, puisque celui-ci
est caché dans les prolongements ci-dessus. Quant au devant de la ruche, comme on doit toujours placer le plateau légèrement incliné sur le devant, pour que l'eau qui
se forme parfois intérieurement puisse s'écouler, la pluie
ne peut jamais y pénétrer non plus. Si on craint que la
planche, dont est fait le plancher, ne travaille et n'écarte

les côtés de la ruche entre lesquels il doit être placé, ou qu'en se retirant par la sécheresse elle laisse du jour par lequel les insectes pourraient s'introduire, on le fait en mettant les planches dans l'autre sens ; pour cela, on coupe les planches de trente-quatre centimètres et demi de longueur et on les assemble, après les avoir bouvetées, sur deux membrures de soixante-quinze centimètres de long.

§ 230. Il me reste à dire comment on fait la récolte de cette ruche. Si on veut du miel en rayon, on fait des boîtes pour le recevoir. Voici comment je fais les miennes (*Fig. 10*) : Je prépare des planches de cinq millimètres d'épaisseur sur dix-sept centimètres de longueur et treize de largeur ($0^m 005 \times 0^m 017 \times 0^m 013$) ; à une de ces planches je perce un trou de cinq à six centimètres de long sur deux de largeur ; cette planchette sera le plancher de la boîte, l'autre sera le plafond. Pour réunir ces deux pièces, je cloue à chaque angle un montant carré de douze millimètres et douze centimètres et demi de long ($0^m 012 \times 0^m 012 \times 0^m 125$) ; j'obtiens ainsi une espèce de lanterne sans verre ; pour pouvoir mettre ceux-ci, j'ai eu le soin de munir chaque pilier ou montant d'un morceau de ferblanc de trois centimètres de long sur un de large, taillé en pointe d'un bout et fendu en deux de l'autre (*Fig. 11*). J'ai préparé la place pour loger cette attache en insérant d'angle à angle un couteau mince et pointu dans chaque montant ; je rive le ferblanc à l'angle opposé à celui où il a été introduit, et, quand un verre a été posé en place, je l'y maintiens en pliant sur lui un des côtés fendus du ferblanc de chacun des montants contre lesquels il s'appuie. J'ai eu le soin, en clouant les montants, de les placer à deux ou trois millimètres en-dedans de l'affleurement du dessus et du plancher, pour que le verre soit maintenu par les deux planchettes. Le verre devra avoir la même hauteur que les montants, soit douze centimètres et demi, et seulement seize centimètres pour les côtés longs et douze pour les côtés courts. On met huit boîtes semblables sur la ruche ; elles tiennent ensemble de vingt à vingt-quatre kilog. de miel.

Nous avons vu, § 46, que les abeilles placent toujours le miel le plus rapproché du couvain qu'il leur est possible ; c'est cette loi qui fait que souvent elles refusent de travailler dans les récipients qu'on met au-dessus de leur ruche. Pour me rapprocher le plus possible de leurs instincts, j'ai supprimé le plancher que MM. Langstroth et Quimby mettent pour soutenir leurs boîtes, et l'ai remplacé ainsi (*Fig. 12*) : Je coupe une latte de quatre centimètres de largeur et quinze millimètres d'épaisseur, à la longueur de cinquante-cinq centimètres et demi (0^m 04 × 0^m 015 × 0^m 555), sur la tranche de cette latte, je cloue solidement, sur toute la longueur, une bande de ferblanc de cinq centimètres de largeur. Je pose cette latte sur la ruche ; elle porte, par ses deux bouts, sur la joue des rainures où j'ai tracé au crayon la distance à observer entre les cadres et leur place, § 223, et je place les huit boîtes, quatre de chaque côté de la latte ; ces boîtes sont supportées d'un bout par les côtés de la ruche, de l'autre par la bande de ferblanc. Il n'y a donc, entre le dessus des cadres et les boîtes, que l'espace réservé au-dessus des cadres, § 219.

§ 231. Si, au lieu de miel en rayons, je désire obtenir du miel coulé, je fais une hausse de quinze centimètres de haut, rainée comme le dessus de la ruche, mais de cinq

millimètres moins longue et moins large, et je la garnis
de cadres ayant treize centimètres et demi de hauteur
sous la latte qui les porte. Ces cadres sont ensuite garnis
de rayons de mâles que j'y attache (Voir l'article *Transvasement des ruchées*) ; ils descendent juste à l'affleurement de la ruche. On couvre le tout du chapiteau, comme
pour les boîtes de verre. Ces rayons sont vidés au mélextracteur (*Voir ce mot*).

§ 232. Je munis chaque ruche d'une ardoise, peinte en
blanc d'un côté, sur laquelle j'écris l'âge de la reine et
toutes les observations dont je veux prendre note. Cette
ardoise, si la ruche est en bon état, montre son côté peint
au coin duquel est inscrit le numéro de la ruche ; si la
ruche est dans son état anormal, l'ardoise montre son
côté noir. Cette ardoise est tenue en place, contre le derrière du corps de ruche, par un porte-ardoise en ferblanc
qui, faisant ressort, l'appuie contre la ruche. La ruche
porte aussi un numéro.

§ 232 *bis*. Devant la ruche, sur le plateau, je place une
planchette de cinq centimètres de largeur sur vingt de
longueur (0^m 05 $\times$ 0^m 20 (*Fig. 9*), en bois lourd, pour
qu'elle soit plus stable, qui sert à rétrécir au besoin l'entrée des abeilles ou à la fermer tout-à-fait.

§ 232 *ter*. Sur mes ruches, qui sont éparpillées, je
mets des toits faits en planches minces et légères. Ces
toits ont deux pentes à peu d'inclinaison. Les deux planches qui les forment sont reliées entre elles par deux
planchettes longues de quarante-cinq centimètres, taillées
en triangles, dont les sommets n'ont que huit ou dix centimètres de hauteur. Le tout est maintenu par huit vis
(*Fig. 13*).

§ 233. Les ruches et toits doivent être peints à l'huile

en couleurs claires. Les plateaux et les toits sont tous, dans mon rucher, de couleur uniforme, gris clair ; les ruches sont toutes de couleurs différentes : roses, blanches, vert clair, jaune clair, lilas, gris bleu, etc., et toutes variées pour que les abeilles distinguent aisément leur ruche. J'ai aussi le soin, depuis quelque temps, de peindre en vert le plateau sur ses bords et la tranche de la ruche où elle le touche, pour que les vers de teignes, § 194, qui se retirent dans les coins pour s'y transformer, et qui ont l'habitude de ronger la place où ils s'établissent, soient empoisonnés par la couleur (vert de gris).

§ 233 *bis*. Les partisans de ruches à rayons fixes ne manqueront pas de dire que ma ruche est trop grande, trop chère, trop difficile à faire, et que la ruche, sa forme, sa grandeur, ses améliorations importent peu ; je me permettrai de ne pas être de leur avis. Une ruche qui est bonne pour les abeilles ; qui les protége bien contre le froid, l'humidité, les rongeurs et les teignes à un certain degré ; qui en même temps empêche l'essaimage naturel presque entièrement ; qui donne assez de place à la reine pour qu'elle puisse utiliser toute sa fécondité ; qui peut être rétrécie en deux minutes autant qu'il peut être désirable, qui laisse visiter tous ses rayons et remplacer aisément ceux de mâles, une pareille ruche vaut l'argent qu'elle coûte et j'ai la preuve qu'elle vaut mieux que quelque ruche à bâtisse fixe que ce soit, car elle produit abondamment et elle a pour elle une expérience de dix ans entre mes mains.

§ 233 *ter*. Avant de quitter ce chapitre, qu'il me soit permis d'adresser aux apiculteurs, surtout aux inexpérimentés, un conseil salutaire, c'est de se garder de faire des changements aux ruches décrites par leurs anciens ;

dix-neuf fois sur vingt ces améliorations remplaceront un léger inconvénient par un plus grand, j'en parle par expérience. Or, ces mécomptes sont coûteux et ils ont en outre le désavantage d'amener parfois le découragement.

Ruche d'observation.

§ 234. Rien n'est plus facile que d'établir une ruche d'observation quand on possède des ruches à cadres. Un apiculteur commençant ne doit pas négliger de s'en fabriquer une ; elle lui donnera beaucoup de plaisir d'abord, puis elle perfectionnera ses connaissances en apiculture en le mettant à même de voir de ses propres yeux les abeilles accomplir leurs travaux. La ruche d'observation est peu coûteuse, car elle ne doit contenir qu'un seul rayon. Nous avons vu, § 200, qu'une ruchée n'est pas faible si ses bâtisses sont en rapport de grandeur avec sa population ; tout chez elle : ponte, incubation, récolte, s'y passe comme dans une ruchée populeuse, quoique en moindres proportions. Si donc on loge un essaim contenant un litre d'abeilles dans une ruche munie de vitres et n'ayant de place que pour un seul rayon, on pourra voir les abeilles exécuter tous leurs travaux.

Préparez une planche pour plateau longue de soixante-quinze centimètres et large de quarante-cinq (0^m 75 $\times$ 0^m 45) ; sur cette planche, à cinq centimètres d'un de ses bouts, vissez verticalement, par bout, une autre planche de cinq centimètres de largeur sur vingt-cinq millimètres d'épaisseur et trente-deux de hauteur (0^m 05 $\times$ 0^m 025 $\times$ 0^m 032). Avant de visser cette planchette en place, vous lui avez fait une entaille ou rainure de quinze

millimètres carrés ($0^m\,015 \times 0^m\,015$) ; c'est cette entaille
qui doit recevoir le bout ou oreillette du cadre. Vous préparez une planchette semblable pour le devant et vous la
fixez de même, après lui avoir fait une ouverture au bas
de quinze millimètres carrés, pour entrée aux abeilles.
L'intervalle entre ces deux planchettes doit être le même
que dans la ruche à cadres, cinquante et un centimètres,
§ 214, puisque ces deux planchettes sont le devant et l'arrière de la ruche d'observation, qui doit recevoir un cadre
garni de rayons et partant du couvain des abeilles. Avec
des lattes de deux centimètres carrés ($0^m\,02 \times 0^m\,02$) et
portant une rainure de deux ou trois millimètres pour recevoir des vitres, vous faites un chassis carré de cinquante-six centimètres de long sur trente-deux de hauteur, en l'assemblant à mi-bois ou autrement. Ces chassis
recevront chacun une vitre qui devra être en dedans ; ils
seront munis de quatre petits goujons, en gros fil de fer,
fixés dans les deux planchettes de devant et d'arrière. Les
planchettes sont en outre munies de deux petits crochets chacune pour chaque chassis. Pour fermer le dessus,
on pose une planchette de cinquante-six centimètres de
longueur sur dix de largeur ($0^m\,56 \times 0^m\,10$), à plat au-
dessus ; on la maintient aussi avec deux petits crochets,
un à chaque bout. Enfin, on fait un étui de grandeur convenable, avec lequel on couvre la ruchette afin d'y entretenir la chaleur. L'étui doit être échancré sur le devant,
pour donner un passage aux abeilles.

On établit cette ruchette à l'ombre ou dans une chambre avec un orifice ou tuyau sortant en dehors. Pour la
garnir d'abeilles, on prend à une ruche un rayon chargé
de couvain et d'abeilles, et on agit comme aux § 159 et
suivants.

CHAPITRE XV.

Transvasement des ruchées.

§ 235. Le transvasement des ruchées consiste à établir dans une ruche à cadres les bâtisses et les abeilles d'une ruche à bâtisses fixes. Pour opérer ce transvasement, on commence par faire sortir les abeilles de la ruche qu'on veut transvaser. On fait comme quand on chasse les abeilles, § 142 ; mais on pousse la chasse plus à fond, pour qu'il ne reste que le moins d'abeilles possible dans la ruche.

Quand la ruche ne contient plus d'abeilles ou seulement quelques-unes, on la porte dans un endroit clos, si on craint le pillage, § 196, ou à l'ombre si le pillage n'est pas à redouter, tandis que la ruche contenant les abeilles reste en place. On détache alors les rayons en commençant par ceux de mâles qu'on met à l'écart. Cet enlèvement de rayons se fait au moyen d'un couteau fait avec une vieille lame de scie qu'on a emmanchée après lui avoir rogné les dents et qu'on a aiguisée comme un ciseau de menuisier. Ce couteau sert à détacher les rayons des parois de la ruche. Un autre couteau, à lame recourbée, sert à les détacher du fond. Si la ruche contient des baguettes transversales, on fera bien de les arracher avec des tenailles, si on peut les tirer du dehors, ce qu'on fait en les tournant pour les dégager des constructions ; on peut aussi les couper avec un sécateur, entre les rayons. Si on ne tient pas à conserver la ruche à transvaser, on arrivera plus aisément en la coupant, si elle est en paille ou en petit bois, ou en la déclouant ou la fendant si elle est en planches ou en tronc d'arbre.

§ 236. A mesure que les rayons sont sortis de la ruche, on les attache dans les cadres, en ayant le soin de les placer dans le sens où ils se trouvaient dans la ruche. On reconnaît très facilement le sens des rayons. Les alvéoles ne sont pas tout-à-fait horizontaux, ils sont sensiblement plus élevés à leur orifice qu'à leur fond. En outre, le haut de chaque rayon ayant plus contenu de miel que de couvain, est moins foncé que le bas ; et puis les alvéoles du dessus ont plus de longueur, les abeilles les allongeant pour qu'ils contiennent plus de miel.

Pour attacher les rayons dans les cadres, on a préparé des fils de fer par bouts de trente-deux centimètres ($0^m 32$) de longueur ; on courbe chaque bout sur une longueur d'un centimètre, pour avoir une sorte de crampon long de trente centimètres ; et après avoir préparé les trous avec une alcine droite, on y enfonce, dans le dessus et le bas du cadre, un des bouts du crampon ; on met trois de ces fils de fer d'un côté du cadre (*Fig. 14*) ; on pose celui-ci à plat sur une table, on le remplit de rayons ; on cloue de même trois autres fils de fer et on relève le cadre avec précaution pour le suspendre dans la ruche. Le fil de fer dont je me sers est de la grosseur d'une aiguille à tricoter des bas ordinaires.

Si les morceaux de rayons qu'on veut attacher sont petits, après avoir mis les premiers fils de fer on met dans le cadre quelques bouts de paille peignée ferme qu'on espace comme il est nécessaire ; on en met encore quelques-uns avant de clouer les fils de fer sur les bâtisses.

§ 237. On ne doit attacher dans les cadres de la chambre à couvain que des rayons à cellules d'ouvrières ; et on doit, en plaçant ceux-ci dans la ruche, avoir le soin de mettre tous ceux qui contiennent du couvain ensemble, pour que les abeilles aient plus de facilité pour l'échauffer.

§ 238. Quand tous les rayons sont attachés et les cadres mis dans la ruche, il faut porter celle-ci à sa place, après avoir mis les diaphragmes pour resserrer l'espace, en ayant le soin toutefois de laisser au moins un cadre vide, à moins qu'on ait assez de rayons pour remplir les huit cadres. Mais avant de porter la ruche à la place que la vieille habitation occupait et où se trouvent les abeilles, il faut la changer de plateau, crainte de pillage ; car le transvasement fait toujours couler du miel. Or, plus il y aura de miel coulant, plus les pillardes seront attirées, § 198.

§ 239. Aussitôt la nouvelle ruchée bien établie à sa place, en mettant un instant de côté la ruche qui contient les abeilles, il faut déplier devant elle un linge allant jusque sur son plateau, puis prendre, avec précaution, la ruche qui contient les abeilles chassées et les faire tomber, d'un coup sec, devant l'entrée, sur le linge. Dès que presque toutes seront rentrées, on rétrécira l'entrée, crainte de pillage. Six ou huit jours après, il faudra ouvrir la ruche et lever toutes les attaches en les éclatant avec un couteau ; on laissera quelques jours de plus celles dont les rayons ne seraient pas suffisamment attachés.

§ 240. La meilleure époque pour faire les transvasements est le mois de mars, parce qu'il y a peu de miel dans les ruches ; car le miel est plus difficile à attacher que le couvain. En été, les rayons sont trop chauds, ils peuvent tomber en pâte, si on n'a pas le soin de descendre la ruche privée d'abeilles dans une cave fraîche, pour une heure ou deux, et de l'arroser d'eau froide pendant les jours qui suivent le transvasement. Et encore, avec ces moyens, les rayons se déforment souvent. En automne, les rayons sont trop lourds de miel.

§ 241. Si on a déjà d'autres ruches à rayons mobiles garnies d'abeilles, on lève à une d'elles un ou deux rayons de couvain qu'on remplace de suite par le même nombre de rayons, de couvain aussi, qu'on vient d'attacher dans les cadres, et on donne à la ruche transvasée ces deux rayons tout attachés ; le trouble qu'elle éprouve est plutôt passé et elle a moins de pillage à redouter. La besogne d'attacher les rayons, de réparer les brèches, étant ainsi répartie sur deux colonies, est plutôt terminée.

§ 242. Je ne saurais trop recommander aux apiculteurs, surtout aux novices, ces transvasements ; ils ont le triple avantage de procurer des rayons bien droits, bien exacte- ment dans les cadres, ce qui est indispensable pour une bonne culture ; en second lieu, ils permettent de changer, presque instantanément, un rucher à rayons fixes en ru- cher à rayons mobiles ; enfin, et cet avantage n'est pas le moindre, ils familiarisent les commençants avec les abeilles et la manipulation des rayons.

§ 243. Les rayons de mâles, qu'on a réservés, sont uti- lisés en les attachant avec des fils de fer, comme ci-dessus, mais moins longs, dans les cadres qu'on place sur la ruche pour recevoir la récolte, § 233. S'ils contenaient du cou- vain de mâles, on trancherait la tête à ceux-ci et on met- trait les rayons dans la ruche pour vingt-quatre heures.

au bout de ce temps on les enlèvera, ils seront nettoyés par les abeilles. Si on les laissait plus longtemps et que la mère n'ait pas d'autre place pour pondre, elle pourrait les regarnir d'œufs.

§ 244. On emploie les mêmes moyens pour attacher dans les cadres tous les rayons d'ouvrières qu'on peut se procurer, et dans les cadres du dessus tous ceux de mâles. Il faut se souvenir que les rayons sont la fortune de l'apiculteur et que c'est une pratique désastreuse que de les fondre, §§ 39, 40.

CHAPITRE XVI.

Mélextracteur ou smélateur.

§ 245. Nous avons vu, § 55, que tous les jours ne sont pas favorables à la récolte du miel ; que certains jours n'en donnent pas, tandis que d'autres en donnent considérablement. Un apiculteur américain, M. E. Gallup, raconte qu'un jour il remarqua que ses abeilles revenaient chargées et enduites de miel; persuadé qu'une ruchée, logée dans un arbre, avait eu des rayons détachés par la chaleur et que le miel, dont ses abeilles revenaient engluées, provenait de ce pillage, il les suivit dans la direction d'un bois voisin, pour reconnaître le fait ; arrivé là, il fut tout surpris de voir ses abeilles trouver le miel sur les fleurs de tilleul. « Prenez, écrit-il, une branche de tilleul, plongez-là dans le miel, laissez égoutter et vous aurez une idée de la chose. »

Dans le bulletin de la Société centrale d'agriculture de France, M. Boussingault rapporte un cas pareil, qui s'est produit en juillet 1869, sur un tilleul, en Alsace.

Gallup ajoute qu'une ruchée, à laquelle il avait vidé le miel et rendu les bâtisses, lui a donné le surlendemain vingt litres de miel, soit près de trente kilogrammes, recueillis en moins de deux jours.

§ 246. Nous avons vu, § 91, qu'une bonne mère peut pondre jusqu'à trois mille œufs par jour. Nous savons que la durée moyenne des ouvrières, en été, est de trente-quatre jours, § 20 ; or, si nous multiplions ces deux

nombres l'un par l'autre, nous aurons plus de cent
mille abeilles. Supposons moins. Mettons que nous avons
soixante mille abeilles butineuses dans une colonie ; si
nous donnons du miel à une abeille, il lui faudra trois à
quatre minutes pour se remplir et autant pour aller le
porter à la ruche. Supposons qu'il faille à une abeille,
dans les circonstances ci-dessus, § 245, un quart d'heure
pour faire une excursion et se décharger, cela fera vingt
excursions en cinq heures. Nous avons vu, § 113, que les
abeilles, pour essaimer, se remplissent de miel. On a pesé
dix mille abeilles et on a trouvé qu'elles pesaient deux
cents grammes de plus en essaimant qu'elles ne pesaient
en état ordinaire ; elles avaient donc emporté deux cents
grammes de miel de la ruche. Si dix mille abeilles rapportent à la ruche deux cents grammes, soixante mille en
rapporteront un kilogramme deux cents grammes par
excursion, et si ces soixante mille abeilles font vingt excursions dans le jour, vingt-quatre kilog. Voilà comment
on peut comprendre la récolte de Gallup, citée plus haut,
et celle d'un autre apiculteur Américain, Hosmer, qui,
dans le même temps, avait une ruchée qui rapportait 53
livres ou 24 kilog. dans le même jour, également de miel
de tilleul.

§ 247. Les faits ci-dessus, quoique rares, trop rares
malheureusement, nous montrent, non-seulement la nécessité d'avoir de fortes populations, pour profiter des
jours où la récolte donne, mais encore l'avantage d'avoir
dans les ruches des bâtisses toutes prêtes pour recevoir la
récolte.

Supposons qu'au lieu d'avoir des rayons vides, les
abeilles de Gallup et d'Hosmer aient eu à faire des cons-

tructions, comme quand on leur donne une hausse ou une calotte vide, combien auraient-elles amassé de miel de moins qu'ayant des bâtisses ? La différence est incalculable, immense, et c'est cette plus-value de récolte, plus-value indiscutable, qui a conduit à l'idée de vider les rayons pour les rendre aux abeilles, après en avoir enlevé le miel, pour qu'elles les remplissent. Cette opération se fait au moyen du smélateur ou mélextracteur.

§ 248. Le smélateur, nom italien de la machine et qui vient du mot *smelare*, tirer du miel des ruches, le smélateur se compose d'un bâtis carré, fait de membrures de chêne, portant un plancher et deux bras emmanchés dans le bâtis et munis au bas d'arcs-boutants. Ces deux bras ou montants sont munis chacun d'un tenon qui entre dans des mortaises percées dans une traverse de même grosseur que les montants. Il faut que les tenons entrent à l'aise dans les mortaises et qu'ils les débordent de dix centimètres environ ; ils sont percés de trous dans lesquels on fait entrer de force des coins ou cales qui assujettissent solidement la traverse sur les tenons.

Entre les bras ou montants, on établit sur le plancher une cuve ronde en fer-blanc. Au milieu de cette cuve on a percé un trou de dix centimètres de diamètre, et on a soudé, sur ce trou, un tube de même diamètre et de douze centimètres de hauteur. On munit la cuve d'un robinet à mélasse.

Sur la traverse du bâtis on établit un engrenage. Comme cet engrenage demande peu de force, on le fait au moyen d'une vieille roue de tourne-broche et d'un pignon de la même machine. On met la roue à plat sur la traverse ; on lui a fait un arbre de dix centimètres de long ; on assure cet arbre contre la traverse par deux colliers, dans lesquels il tourne sans pouvoir se dégager. On assujettit de même le pignon ; mais il faut que celui-ci se trouve au milieu de la longueur de la traverse, car il est destiné à donner le mouvement rotatif ; pour cela, on fait son arbre de quatorze ou quinze centimètres de longueur et on le termine au bout du bas par un carré.

Il ne reste plus qu'à faire la cage de la machine. Cette cage est composée d'un arbre perpendiculaire qui, au bout du haut, se termine en carré de clé de montre pour recevoir le carré du pignon ; l'autre bout, qui peut être aciéré, se termine en pointe et est reçu dans une crapaudine placée au centre du plancher du bâtis. Cet arbre porte une cage en toile métallique, carrée ou à six pans, suivant qu'on veut vider quatre ou six cadres à la fois. Les cadres peuvent s'y mettre debout, c'est-à-dire leur plus grande longueur de haut en bas ; la cage doit être assez haute pour cela, elle doit tourner au-dessus du tube central de la cuve en ferblanc.

Il reste à dire que pour faire jouer la machine, on doit fixer une poignée à un point quelconque du tour de la roue d'engrenage.

§ 249. On enlève avec un couteau mince et bien affilé les opercules qui couvrent le miel des rayons qu'on veut vider ; puis on place ceux-ci dans la cage, en les appuyant contre les parois et en les y maintenant au moyen d'un petit crochet de fil de fer ; on tourne la machine, la force centrifuge jette le miel dehors des cellules ; une grande vitesse serait nuisible, elle briserait les rayons, surtout lorsqu'on agit du premier côté ; on fait de même de l'autre côté et on rend les rayons aux abeilles pour qu'elles

les remplissent. J'ai pour habitude de remplacer les rayons pleins, que je lève à une ruchée, par des vides, que je lui donne immédiatement. Les premiers vidés sont donnés à une seconde ruchée, et ainsi de suite.

§ 250. On ne doit pas vider le miel aussitôt qu'il est recueilli par les abeilles, il serait trop aqueux et ne granulerait pas bien ; il faut attendre le moment où les abeilles sont sur le point de l'operculer, § 44. Ce moment est plus ou moins tôt arrivé, suivant la sécheresse plus ou moins grande du sol ou de la température ; parfois 48 heures suffisent, d'autres fois il faut beaucoup plus longtemps.

§ 251. On peut, on doit même, en certaines circonstances que nous verrons à l'article *soins des ruchées en été*, vider le miel des rayons de la ruche. Si ces rayons contiennent du couvain, on peut les passer à l'extracteur, en ayant le soin de faire tourner la machine un peu moins vite, pour que les abeilles ne soient pas jetées dehors.

§ 252. Le smélateur fonctionne parfaitement en été. En automne, quand il fait froid, le miel sort moins bien, surtout si on n'a pas le soin d'opérer dans une chambre chaude, où on aura laissé les rayons pendant quelques heures avant de les vider. Certain miel est trop tenace pour pouvoir être expulsé. Je ne connais dans ce cas que le miel de bruyère. Quant on a des bruyères dans son voisinage, il faut conserver les rayons qui sont remplis du miel de cette fleur, pour les donner en nourriture aux abeilles en remplacement du miel de bonne qualité, dont on peut alors les dépouiller à fond.

§ 253. Il n'y a pas d'exagération à dire que le smélateur double toujours la récolte. Dans certaines circonstances, celles que j'ai citées, par exemple, au commencement de ce chapitre, on peut dire qu'il la décuple.   8

CHAPITRE XVII.

Placement des boîtes de surplus, leur récolte et soins à donner aux rayons.

§ 254. Nous avons vu, § 231 et suivants, que la récolte du miel se fait au moyen de boîtes ou de hausses qu'on établit sur la ruche pour que les abeilles y déposent le miel qu'elles recueillent pour leurs provisions d'hiver, et qu'on les dépouille du surplus de cette provision en paiement des soins et du logement qu'on leur donne. Il nous reste à parler de l'époque où ces récipients doivent être placés et des moyens à employer pour s'en rendre maître.

Nous avons vu, § 228, que mes ruches n'ont que huit cadres et deux diaphragmes, quoique ayant place pour onze cadres (¹). Dans la place libre je place, à quelques-unes de mes ruchées, choisies parmi les plus populeuses, un cadre garni d'un rayon de cellules de mâles, et dès que je pense le moment de la récolte arrivé, je visite les rayons chaque soir. Aussitôt que j'y aperçois un peu de miel, c'est une preuve que la ruchée commence à manquer de place dans la chambre à couvain, et c'est le moment de placer les récipients, boîtes de verre ou hausse à rayons mobiles, sur les ruches.

---

(1) Quand on a des mères très fécondes, ces huit cadres ne suffisent pas. On leur en donne neuf. Je ne doute pas que, par la sélection, continuée pendant plusieurs années, on n'arrive à créer une race d'abeilles d'une fécondité beaucoup plus grande que celle que nous possédons actuellement

§ 255. Les petites boîtes de verre que j'ai décrites, § 231, doivent être munies de bouts de rayons bien blancs, qu'on colle à leur plafond, avant de poser les verres, au moyen de cire fondue, à laquelle on a ajouté un dixième, au plus, de sain-doux ou de résine. Quand une boîte est remplie, on la soulève et on met, entre elle et la ruche, une seconde boîte percée de trous à son plancher et à son plafond, pour que les abeilles puissent passer d'une boîte à l'autre. On place cette seconde boîte lorsque les cellules sont pleines et avant qu'elles soient operculées ; en même temps qu'elles rempliront la boîte inférieure, les abeilles operculeront les cellules de la boîte supérieure, qu'on enlèvera alors, la remplaçant encore, s'il en est besoin, par une autre boîte vide, qu'on mettra, comme ci-dessus, sous celle qui est à peu près pleine. Par ce moyen, les abeilles ont toujours du miel à apporter là où elles aiment mieux le placer, c'est-à-dire tout au-dessus du couvain, tandis que si on eût mis la boîte vide sur la pleine, elle se serait trouvée loin du couvain et les abeilles auraient refusé d'y travailler, ou ne s'y seraient décidées que tardivement, et seulement en cas d'une richesse exceptionnelle. Quand on met ce second étage de boîtes, il faut ajouter au chapiteau une hausse de la hauteur nécessaire. J'ai eu souvent jusqu'à seize boîtes tout-à-fait pleines et huit à moitié, sur la même ruche. Cela faisait l'admiration des visiteurs, quand je levais mes chapiteaux et qu'ils voyaient de quarante à cinquante kilogrammes de miel en beaux rayons blancs dans ces jolies boîtes de verre sur une seule ruche.

§ 256. Aussitôt que la récolte cesse, on doit enlever les boîtes ; si on les laissait, les abeilles saliraient les verres avec de la propolis et jauniraient les rayons, qui seraient

moins appétissants. Pour débarrasser ces boîtes des
abeilles qu'elles contiennent, on les met dans une caisse
élevée, rangées, l'ouverture en dessus, les unes contre les
autres, de manière à ce que les abeilles ne voient de jour
que par les trous des boîtes. On couvre la caisse d'un
linge, pour empêcher les pillardes, et de temps en temps
on vient secouer le linge, pour que les abeilles retournent
à leur ruche. Le soir, on rentre le tout; et s'il est resté
quelques abeilles dans quelques boîtes, on ouvre un des
verres en le détachant de la propolis, et on chasse douce-
ment les abeilles avec les barbes d'une plume.

§ 257. Aussitôt que toutes les abeilles sont sorties, on
doit gratter avec soin la cire et la propolis qui sont sous
le plancher des boîtes, puis fermer leur ouverture, en
collant, sur le plancher, une feuille de papier. Cette précaution empêchera les fourmis et les teignes d'y pénétrer,
§ 194.

§ 258. La méthode de récolte, au moyen de boîtes de
verre, présente cet avantage que l'apiculteur n'a presque
pas besoin de surveiller son rucher, dès que les boîtes
sont placées. Elle convient surtout quand on a plusieurs
ruchers. On ne peut pas être dans tous à la fois, pour
vider le miel des rayons au moyen du smélateur, § 248;
la récolte se fait donc dans le rucher qui est près de l'habitation de l'apiculteur, au moyen de la machine, et dans
les ruchers éloignés, au moyen des boîtes de verre.

§ 259. On doit placer, sur les plus fortes ruchées, autant
de boîtes que le dessus des rayons peut en recevoir, car
plus il y a de place pour recevoir la récolte, plus les
abeilles d'une ruchée populeuse rapportent de miel. On
met sur les ruchées moins riches en abeilles quelques

boîtes de moins, pour qu'elles ne répartissent pas leur
récolte sur un trop grand nombre de boîtes, qu'elles lais-
seraient à moitié pleines et invendables.

§ 260. Ces boîtes, à moitié ou au quart pleines, doivent
être fermées comme les autres, § 257, et mises en réserve
pour aider, de leur miel, soit en automne, soit au printemps, les ruchées qui se trouveraient à court de provisions. Les rayons commencés, que ces boîtes contiennent,
aident merveilleusement les colonies, à qui on les donne
à les remplir l'année suivante.

§ 261. Les rayons à vider au smélateur doivent être
placés sur les ruches, à la même époque que les boîtes
de verre, § 254. Ces cadres sont, à l'avance, garnis de
rayons de mâles. En les plaçant, on les écarte un peu
plus que ceux du corps de ruche, § 223, les mettant à
quarante-deux ou quarante-cinq millimètres l'un de l'autre, de centre à centre. Cette augmentation de distance
de quatre à sept millimètres, engage les abeilles à prolon-
ger d'autant la longueur des cellules. On obtient ainsi plus
de miel d'un même nombre de rayons, ce qui diminue
la besogne de l'extracteur, et on empêche la reine de
pondre dans ces rayons, qui ne lui conviennent plus, à
cause de la longueur des cellules.

§ 262. Si on n'a pas assez de rayons à cellules de mâles
pour garnir entièrement la hausse de surplus, § 238, on
y place les cadres garnis des rayons dont on dispose, et
on met entre eux des cadres vides ; mais alors on ne donne
que la place juste que chaque cadre doit occuper, § 223,
pour que les abeilles construisent bien les rayons à bâtir
au milieu du porte-rayon, § 38. On se sert après la récolte
des rayons à cellules d'ouvrières, que les abeilles ont pu

construire, en les attachant dans les cadres de la chambre à couvain. (Voir § 235, pour la manière d'attacher ces rayons).

§ 263. La récolte, au moyen de l'extracteur, doit toujours être préférée, quand on peut se procurer aisément la vente du miel coulé. Pour qu'il y ait bénéfice à produire du miel en petites boîtes, il faudrait qu'il fût vendu au moins le double du miel coulé, et encore dans les coups de feu de récolte, comme ceux que j'ai relatés, § 243, cette différence de prix serait loin, bien loin d'être suffisante. — Comme il ne se passe guère d'années qui n'aient quelques jours où les abeilles sont impuissantes à récolter tout le miel que les fleurs produisent, il serait d'une bonne pratique apicole d'allier les deux systèmes en mettant, dans le chapiteau, quelques rayons de mâles à vider à l'extracteur, et à côté un rang de quatre boîtes. Ce système, que je n'ai pas encore essayé, serait probablement très avantageux, et les boîtes se bâtiraient peut-être sans grande dépense, les abeilles utilisant, pour ces bâtisses, la cire que les jeunes produisent en été, comme les autres animaux font la graisse, sans le savoir.

§ 264. Aussitôt que la récolte cesse, on doit vider à fond tous les rayons de mâles donnés pour loger le surplus de la récolte. On les rend aux abeilles pour qu'elles les sèchent entièrement et on les met en réserve en les enfermant avec soin dans les hausses empilées l'une sur l'autre et bien closes pour éviter que les teignes viennent y déposer leurs œufs, § 194. Si on s'apercevait que quelques toiles de teignes y sont filées ou si on voyait, sur le plateau portant la pile de hausses, quelques grains noirs ressemblant à de la poudre à tirer un peu grosse, leurs excréments, il faudrait se hâter de détruire les vers de teignes en allumant au-dessous une mèche soufrée. On clos bien, pour que la vapeur de soufre ne s'échappe pas, et on recommence cette opération quinze jours après.

§ 265. On doit surveiller avec soin tous les rayons de cire qu'on a en réserve, surtout pendant les mois d'été. On les visite tous les quinze jours; on les soufre si on y voit de la teigne ; on a soin que les boîtes qui les contiennent ferment bien, pour que les papillons de teigne ne puissent s'y introduire ; on doit mettre un intervalle d'au moins un centimètre entre chaque rayon, car les vers de teigne se développent vite dans des rayons qui sont en tas. Je conserve chaque année, dans un grenier bien éclairé et bien aéré, des rayons suspendus à deux centimètres l'un de l'autre, de manière à ce que le jour de la fenêtre puisse passer entre eux sans que jamais ils soient attaqués par les teignes.

CHAPITRE XVIII.

Nourrissage des abeilles.

§ 266. Nous savons que le miel est la principale nourriture des abeilles, et que c'est en prévision de la mauvaise saison qu'elles en amassent de grandes quantités dans leurs ruches. Parfois le moment de la récolte est si peu favorable à la production du miel, que les abeilles n'en peuvent assez économiser pour l'hiver; quand les colonies sont fortes en population, les années de disette ne les atteignent pas, car nous avons vu que quelques jours seulement suffisent à une forte ruchée pour emplir sa ruche, §§ 246, 247. Mais les colonies d'un rucher ne sont jamais toutes très populeuses, il est nécessaire de prendre à celles qui ont un excès pour donner à celles qui ont besoin; un échange de rayons pleins, d'une ruche, avec des rayons vides, d'une autre, fait du bien à toutes deux en donnant de la place à la mère de l'une et en donnant des provisions à l'autre. Ces échanges doivent se faire surtout au moment où la récolte vient de cesser. La ruche trop pleine verrait sa population diminuer, faute de cellules libres, si on ne venait à son secours en la privant d'une partie de son miel.

§ 267. Si on n'a aucune ruchée trop grasse et qu'on en ait quelques-unes dans le besoin, il faut les alimenter. La meilleure nourriture pour cela est du sirop de sucre. On fait fondre dix kilogrammes de sucre blanc dans cinq litres d'eau, en mettant le tout sur un feu doux, dans une bassine de cuivre non étamée, et on ajoute au mélange cinq cuillerées à café de crème de tartre, qui aura pour effet d'empêcher la cristallisation du sirop.

§ 268. Une ruchée, pour bien passer l'hiver et les premiers mois du printemps, a besoin de dix à quinze kilogrammes de miel, suivant la précocité de la récolte. Si donc cette quantité ne se trouve pas dans la ruche au moment où la récolte d'automne cesse, il faut la lui donner ou la lui parfaire, après avoir estimé la quantité manquante. Pour faire l'évaluation du miel que contient une ruche, il faut savoir qu'un carré de rayons de miel operculé, de quinze centimètres de côté, pèse environ un kilogramme ; il pèsera davantage si le rayon est à cellules de mâles allongées. En estimant le miel d'une ruche, il vaut mieux estimer moins que plus, les abeilles ne gaspillant pas leurs provisions, mais ne les dépensant que pour leurs besoins. Un autre moyen encore d'estimer le miel, c'est de se souvenir qu'un rayon Quinby, § 218, entièrement plein de miel et pollen, rend au smélateur environ quatre kilogrammes de miel ou un peu plus.

§ 269. Pour parfaire la quantité de miel dont une ruche a besoin pour passer l'hiver, on se sert d'un nourrisseur. Ce nourrisseur est ainsi fait : Prenez une boîte en ferblanc de dix à douze centimètres de hauteur sur un diamètre de douze ou quinze ; faites lui poser un fond en ferblanc percé de trous à filtrer ; à l'autre bout, faites souder un fond plein, sur lequel sera un goulot que vous fermerez hermétiquement avec un bouchon. Ajoutez à ce filtre trois pieds d'un centimètre de haut. Remplissez de sirop et bouchez ; mais laissez-le au-dessus de quelque récipient pendant quelques instants, jusqu'à ce que le sirop ne coule plus aussi vite, et placez-le sur les cadres. Ce nourrisseur contiendra de deux à trois livres de sirop. Si on en a deux, on peut les mettre en même temps sur la ruche, le soir ; le lendemain, si la ruche est populeuse, ils seront vides, les abeilles ayant sucé le sirop par les trous du filtre.

§ 270. Il est meilleur d'avoir deux nourrisseurs à la fois sur la ruche, parce que la nourriture doit être donnée vite. Si, au lieu de faire emmagasiner le sirop par les abeilles en une seule nuit, on faisait traîner le nourrissage en longueur, les abeilles, gorgées de miel pendant plusieurs jours de suite, en offriraient à la mère et provoqueraient ainsi une ponte abondante, dont les larves absorberaient une partie du sirop, et le but cherché, l'approvisionnement de la colonie, pourrait être manqué, § 95. Même en alimentant vite, il y a toujours une perte de poids équivalent à 10 p. 0/0 au moins.

§ 271. On doit toujours donner la nourriture au-dessus de la ruche et non au bas, parce que les abeilles ne peuvent aller au nourrisseur du bas quand les nuits sont fraîches, et en outre parce que, si on oubliait d'enlever le nourrisseur le matin, la ruche pourrait être pillée par les abeilles des ruches voisines. Le pillage est d'autant plus à craindre qu'une ruchée nourrie ne se défend pas.

§ 272. On doit aussi alimenter de nuit et non de jour, par la même raison. On fera bien de ne donner la nourriture la première fois qu'à nuit ferme, surtout s'il fait froid, parce que les abeilles qui voient leurs sœurs rapporter du miel, s'élancent en foule au dehors et peuvent périr. On évite cet inconvénient en fermant l'entrée au moment où on place le nourrisseur. Au bout de quelques

jours, si on continue la nourriture, les abeilles connais-
sant l'endroit où elles trouvent du sirop, ne sortiront plus
avant d'être allées visiter la place où on le distribue. Enfin, il faut nourrir avant les froids, crainte de voir les
abeilles sortir et périr.

§ 273. La nourriture n'est pas employée seulement pour
compléter les provisions, on doit l'employer aussi au printemps pour stimuler la ponte de la mère, quand les fleurs
ne donnent pas de miel ou que le mauvais temps empêche
les abeilles de sortir du logis. Si la ruchée est pourvue
d'abondantes provisions, la nourriture doit être réduite à
quelques cuillerées chaque soir, qu'on verse directement
sur les rayons. Comme les abeilles ont besoin d'eau pour
préparer la bouillie du couvain, § 63 *bis*, et qu'on ne veut
que stimuler la ponte, on doit donner du sirop plus étendu
d'eau ou même de simple eau sucrée.

§ 274. Si la ruchée n'a pas de provisions assez abondantes pour attendre le moment de la grande récolte, on
devra augmenter la dose ci-dessus ; mais on fera bien de
donner peu de nourriture à la fois. Comme les ruchées,
au printemps, ont besoin de chaleur pour leur nombreux
couvain, il faudra se garder d'enlever la toile qui couvre
les rayons sans la remplacer par quelqu'autre couverture.
On prend une planche coupée de longueur et de largeur
convenables ; on la perce d'un trou rond, on en couvre la
chambre à couvain et on ferme le trou par le goulot d'une
bouteille de sirop qu'on a fermée d'une toile liée autour ;
les abeilles sucent le sirop à travers la toile, qu'on a choi-
sie plus ou moins épaisse, suivant la densité du liquide.

CHAPITRE XIX.

Rucher.

§ 275. L'expérience a prouvé que la réunion des ruches dans un bâtiment est plus nuisible qu'utile. Outre la dépense occasionnée par la construction du rucher, cette habitation abrite des araignées, des papillons de teignes, des fourmis, des souris, des mulots, des crapauds, etc., tous animaux plus ou moins ennemis des abeilles.

§ 276. Outre ces inconvénients, le rucher rend les manipulations désagréables, parce qu'on les fait dans le près voisinage des abeilles des autres ruchées, placées souvent sur la même planche que celle qu'on visite et qui, ressentant les moindres mouvements de l'opérateur, s'irritent et le menacent.

§ 277. Enfin, il y a une raison encore plus puissante que les précédentes, c'est que les jeunes abeilles, lorsqu'elles font leur première sortie, § 13, si elles appartiennent à une ruchée faible et qu'une voisine soit plus en mouvement que la leur, vont se joindre, à leur retour, à la population de la ruche forte, justifiant le proverbe que la pierre va toujours au tas, et cela au détriment de leur famille qui a les plus grandes difficultés à grandir. C'est l'introduction des abeilles italiennes au milieu de populations d'abeilles communes qui a permis de reconnaître le fait ci-dessus.

La réunion des colonies trop près les unes des autres a encore un inconvénient plus redoutable, c'est que les

jeunes abeilles seules ne se trompent pas de ruches, attirées par le mouvement des ruches voisines de la leur ;
les reines, aussi, à leur retour de leur course nuptiale,
§ 6, se trompent souvent, et la mort ou le dépeuplement
de la colonie est le résultat final de cette erreur de la jeune
femelle qui est immanquablement tuée par les abeilles de
la ruche où elle a pénétré. Un apiculteur digne de foi,
M. Quinby, estime que la perte des ruches pour cette
cause, dans un rucher un peu important, est assez grande
pour que leur propriétaire ait du bénéfice à acheter un local plus spacieux pour y éparpiller les ruches.

§ 278. J'ai toutes mes ruches placées à des intervalles
d'au moins un mètre entre chacune dans les rangs, et les
rangs espacés entre eux de quatre mètres. Mes ruches
sont ombragées par des arbres. Je connais un apiculteur
dont les ruches sont placées sous des treilles en contre-
espalier ; les abeilles sortent devant le contre-espalier et
l'apiculteur, pour ouvrir les ruches, est placé derrière.
L'intervalle entre les treilles étant d'environ quatre mètres,
et les abeilles, pour aller à la récolte, étant obligées de
s'élever au-dessus des treilles, l'apiculteur n'est jamais
dans le vol des abeilles du rang devant lequel il se trouve ;
il n'est donc pas gêné par elles ni ne les gêne pas.

§ 279. Un carré de cent choux, à quatre-vingts centimètres l'un de l'autre, occupe un espace de quatre-vingts
mètres. Dix ruches occupant chacune deux mètres dans
le rang et quatre mètres de rang en rang, exigent autant
d'espace que cent choux. Quant au rapport, les dix ruchées bien soignées rapporteront bien vingt ou cinquante
fois les cent choux, même dans les localités les plus dé-
favorables. Ne lésinons donc pas sur la place à accorder

au rucher. Rappelons-nous que si tel état, comme celui
de cordonnier, peut se contenter d'une échoppe de six
pieds carrés, tel autre, comme celui de charpentier, exige
un local plus vaste ; et si je citais le jardinier, le cultivateur ! Mettons donc le rucher en position de rendre tout
ce qu'il pourra en le plaçant dans un local suffisant et
convenable.

§ 280. Quant à l'exposition, on a reconnu que celle du
sud-est est la meilleure ; cependant on peut avoir des
ruches à toutes les expositions. Il faut éviter le voisinage
des grandes pièces d'eau, où les abeilles peuvent se noyer
par milliers ; des sucreries, où elles vont périr dans les
sirops. Les murs élevés qu'elles seraient obligées de
franchir pour aller à la récolte et en revenir, sont aussi
une cause de dépopulation des ruchées. Enfin, les usines
où on fait beaucoup de bruit, les rues qui sont souvent
ébranlées par des voitures chargées, sont encore peu favorables aux abeilles, surtout à cause des secousses in-
cessantes qu'elles peuvent ressentir pendant qu'elles sont
au repos en hiver.

CHAPITRE XX.

Soins à donner en hiver.

§ 281. Nous supposerons que les ruchées sont bien préparées, qu'elles ont les provisions suffisantes, § 268, la première chose à observer, c'est qu'elles ne soient point troublées pendant les jours froids. Il est bon cependant de voir une fois ou deux, dans l'intervalle qui sépare novembre de février, où en sont les provisions de chaque colonie. Avec des ruchées logées en ruches décrites § 213, et couvertes de couvertures de papier, ces vérifications sont tôt faites. On lève le chapiteau de la ruche, § 216, puis on soulève le couvercle de papier, § 221, on a alors tous les rayons sous les yeux. Si les abeilles sont invisibles entre les rayons et qu'elles rendent, lorsqu'on frappe la ruche, un léger bruissement, tout va bien. Si elles sont au-dessus des cadres, c'est qu'elles n'ont plus guère de miel où elles se trouvent ; il faut s'assurer si elles en ont encore à côté ou sur les rayons suivants. Le miel est facile à voir entre les barreaux des cadres. Tout va bien encore. Si on ne voit de miel operculé que sur un seul rayon, il n'y a pas encore danger de voir la colonie mourir de faim, elle a encore des vivres pour une quinzaine ; cependant, il vaut mieux venir à son secours immédiatement. Si on a des boîtes de verre ayant du miel, § 260, on en place une sur la ruchée. Pour qu'il n'y ait pas de déperdition de chaleur, on prépare une planchette de cinq millimètres d'épaisseur sur dix à douze

9

centimètres de côté ; on la perce d'un trou correspondant au trou du plancher de la boîte ; on perce un trou semblable au couvercle de papier. On met la planchette sur les rayons, le couvercle de papier sur la planchette et la boîte dessus ; de cette manière, la ruche est bien close et les abeilles peuvent aller chercher du miel dans la boîte quand la température le permet. Si on n'a pas de boîtes contenant du miel, mais qu'on ait du miel en rayons, on place un rayon sous le couvercle de papier. Si on n'a pas de rayons de miel, on nourrit avec une bouteille, comme ci-haut, § 274. On peut conserver la couverture de papier en la perçant d'un trou suffisant pour recevoir le goulot de la bouteille et en mettant sous le papier une planche assez épaisse et percée également, qui portera la bouteille renversée. On doit avoir soin de placer la nourriture au-dessus du groupe d'abeilles. On remplace les nourrisseurs vides, à mesure, par de pleins. Si on nourrit au sirop, on doit descendre les ruchées dans une cave tout-à-fait obscure.

§ 282. On doit se garder de toucher aux ruches pendant les jours froids. Les visites qui précèdent ne doivent être faites que lorsque les abeilles peuvent sortir. Pour avoir plus de facilité et n'être pas gêné par les abeilles, on les fait le matin d'un jour qu'on suppose devoir être relativement chaud. Les abeilles dérangées sortiront plus tôt pour se vider et auront plus de temps pour reformer leur groupe avant le froid de la soirée.

§ 283. Les autres soins de l'hiver consistent à tenir les ruches presque closes, en établissant la planchette, § 235, devant l'entrée, de manière à ce qu'il ne puisse passer qu'une ou deux abeilles à la fois. Quand le temps promet

un jour chaud, on ôte tout-à-fait la planchette, pour que
les abeilles puissent sortir aisément pour se vider. On a
soin de la replacer dès qu'on craint une nuit froide, en
ayant le soin de débarrasser l'entrée des cadavres d'a-
beilles qui pourraient gêner la circulation de l'air.

§ 284. Il faut veiller à ce que la ruche soit légèrement
inclinée sur le devant, pour que l'eau qui se forme dans
l'intérieur puisse aisément s'écouler, et pour que l'eau de
pluie ou de neige ne puisse y pénétrer.

§ 285. En temps de neige, il faut débarrasser le devant
des ruches de la neige qui pourrait clore l'entrée ; mais il
ne faut jamais fermer la ruche pour empêcher les abeilles
de sortir. Ceux qui enferment leurs abeilles, pour qu'elles
ne puissent périr dans la neige, remplacent un petit inconvénient par un plus grand ; car les pertes d'abeilles
qui périssent en se posant sur la neige sont peu à redouter, tandis qu'une réclusion forcée cause à la ruchée un
trouble qui peut amener une dyssenterie générale, § 188.

§ 286. Dès que février a ramené quelques beaux jours,
il faut commencer à donner de la farine, § 61, pour occuper les abeilles, qui se hasarderaient au loin à la recherche du pollen ou qui essaieraient de piller faute d'autre occupation, et pour pousser à la production du couvain.

§ 287. C'est aussi le moment de nettoyer les plateaux
des ruches, § 217. On les nettoie aisément au moyen d'un
plateau de rechange. On opère le matin, avant que les
abeilles soient descendues. On enlève la ruche de sa
place, on établit bien le plateau de rechange ; puis, au
moyen d'un ciseau qu'on introduit dans l'entrée, on fait
levier pour décoller la ruche de son plateau et on la place

sur le plateau de rechange. On fait cette opération à deux ;
on nettoie bien le plateau en ramassant les particules de
cire qu'il porte, on l'essuie avec soin et on le place,
comme ci-haut, sous la ruche suivante.

§ 288. On doit aussi profiter d'un des premiers beaux
jours pour visiter les rayons des ruches, afin de faire
tomber les abeilles mortes ; de couper les endroits verts
de moisissure et de voir si toutes les colonies ont des mères
pondeuses. Quand, dans ces visites, on trouve des ruchées
qui ont trop de miel, on leur enlève un rayon qu'on remplace par un rayon vide, et on donne ce miel à une ruchée qui serait à court. On doit aussi resserrer la place
des colonies trop dépeuplées, en mettant les rayons qu'on
leur enlève de l'autre côté du diaphragme, § 228.

§ 289. Vers la fin de février, les abeilles ont du couvain, et celui-ci a besoin d'eau ; il convient donc de ne
plus leur enlever l'humidité qui se forme dans les ruches,
humidité qui était soutirée par les couvercles de papier.
On enlève ceux-ci et on établit sur les rayons la toile décrite au § 220 ; et sur cette toile on place le couvercle de
papier, obtenant ainsi une double protection contre le
froid.

§ 290. Février est aussi le mois où on doit commencer
la nourriture stimulante, § 273, pour augmenter la ponte ;
mais dans ce mois, plus que dans les suivants, il faut
avoir soin de prévenir toute perte de chaleur, si on veut
que la population grandisse vite. Les abeilles ayant besoin
d'eau pour leur couvain, il faut leur préparer des abreu-
voirs si on n'a pas de ruisseau peu éloigné, § 63 bis. On
leur donnera aussi de l'eau salée pour éviter de les voir
visiter les lieux malpropres, § 63 ter.

§ 291. En mars, on doit, dès le commencement du mois, faire une nouvelle visite aux ruchées qui n'avaient pas de couvain lors de la première inspection. Une de celles qui n'en ont pas, la plus populeuse, recevra un rayon de couvain pris à une bonne mère, afin qu'elle fasse des alvéoles de reines, §§ 108, 110.

§ 292. Si, dans cette visite, on reconnaissait qu'une ruchée a des ouvrières pondeuses, § 17, il faudrait donner de suite un rayon de couvain pris à une autre ruchée. On reconnait qu'une ruche possède des ouvrières pondeuses quand on voit du couvain à couvercles très bombés (couvain de mâles) qui a été pondu sans régularité. Ainsi, par exemple, des cellules operculées seront parmi d'autres contenant des larves de tout âge et des œufs, ceux-ci quelquefois au nombre de trois ou quatre, et davantage, dans la même cellule. Le but qu'on se propose en donnant du couvain d'ouvrières à une ruchée à ouvrières pondeuses, c'est d'obtenir de jeunes abeilles qui ne se contenteront pas, comme les vieilles de la ruchée, d'une ouvrière pour reine, mais soigneront les alvéoles qu'on leur donnera plus tard, § 159.

§ 293. Dix jours après le placement du rayon de couvain dans la ruche orpheline, § 291, on lui prend les alvéoles de reines moins un, et on en greffe un dans chacune des autres ruchées orphelines, § 159.

§ 294. Mais comme, à cette époque, les mâles sont rares, on fera bien d'en faire produire, § 196, surtout si on désire italianiser son rucher.

§ 295. Si, dans ces visites, on craint le pillage, il faudra les faire le matin, avant la sortie des abeilles des autres ruches, ou le soir, lorsqu'elles sont rentrées ou sur le point de rentrer. Si on devait opérer au milieu du jour, on enlèverait la ruche à visiter de sa place et on la porterait à quelques pas du rucher, ou, ce qui vaudrait mieux, dans une chambre close ; mais ces précautions ne sont indispensables que quand on a déjà eu des cas de pillage dans le rucher, § 196.

§ 296. L'hiver est aussi le meilleur temps pour préparer les ruches pour la saison suivante, soit en réparant les vieilles et en les peignant, soit en en fabricant de neuves. Enfin, c'est aussi le moment de commencer les semis et les plantations en vue de peupler le voisinage du rucher de plantes et d'arbres mellifères ; d'acheter et changer les ruches de place, en se conformant aux règles établies dans le chapitre : *Achat et transport des ruchées.*

CHAPITRE XXI.

Soins à donner aux abeilles au printemps.

§ 297. Vers la fin de mars, on doit faire toutes les opérations que la saison ou le manque de temps aurait fait négliger, et qui sont indiquées dans le chapitre précédent. Les populations grandissant, on doit donner de la place à toutes les ruches qu'on aurait cru devoir rétrécir à la fin de l'hiver. Si quelques-unes de ces ruches n'avaient pas leurs bâtisses complètes ; si on n'avait pu se procurer des rayons d'ouvrières, en achetant des bâtisses aux personnes qui les fondent, on devrait s'empresser d'en faire construire, en se rappelant que les petites populations construisent toujours des rayons d'ouvrières, tandis que les colonies populeuses construisent souvent des rayons de mâles. On aura en conséquence la précaution d'éviter d'en faire bâtir par celles-ci. Et pour que les petites colonies aillent plus vite dans ces constructions, on diminuera leur place pour qu'elles aient plus de facilité d'échauffer leur habitation, et on leur donnera beaucoup d'eau sucrée. Il faut avoir soin de placer les cadres à garnir de bâtisses entre deux rayons bien droits, comme nous l'indiquons § 38.

§ 298. Si on a pu se procurer des rayons d'ouvrières, on les attache dans les cadres, comme nous l'avons indiqué au chapitre sur le transvasement. Il faut avoir soin, quand on achète des bâtisses, de ne pas en acheter provenant de ruchées ayant eu la loque, § 189. On reconnait une bâtisse loqueuse à ceci : quelques alvéoles clos sont percés au milieu d'un petit trou, et la cellule renferme une larve morte. Si on a quelques morceaux de cellules d'ouvrières dans les boîtes de verre ou dans les cadres qu'on place au-dessus de la ruche pour les vider au smélateur, § 261, on les détache avec soin et on les attache dans les cadres de la chambre à couvain, § 235. On attache de même, dans les cadres qui doivent servir à la récolte, tous les rayons de mâles que les abeilles pourraient avoir construits dans la chambre à couvain, celle-ci ne devant avoir que des rayons à cellules d'ouvrières ; car le couvain d'un millier de mâles tient plus de place dans la ruche que le couvain de quinze cents ouvrières, coûte plus à nourrir et ne rapporte pas un atome de miel, de sorte qu'il y a au moins, en moyenne, un profit annuel de cinq kilogrammes de miel à n'avoir dans la chambre à couvain que des rayons à cellules d'ouvrières.

§ 299. La fin de mars est le bon moment pour acheter des ruches à rayons fixes ; à cette époque on peut mieux qu'à toute autre juger de la fécondité de la mère, et on n'a plus guère à craindre que le miel soit insuffisant pour atteindre les jours de récolte, si en détournant les abeilles des rayons on peut apercevoir au fond de la ruche un peu de miel operculé. C'est aussi le moment le plus propice pour transvaser les ruchées à rayons fixes dans les ruches à cadres, § 232. Si on doit transvaser des ruches venant d'un autre rucher, il ne faut pas le faire aussitôt qu'elles sont apportées, mais attendre que les abeilles soient sorties pendant un jour ou deux. Faute de cette précaution,

on pourrait en perdre un certain nombre, qui seraient dé-
paysées par l'opération.

§ 300. On doit commencer aussi les préparatifs pour
italianiser le rucher, § 173. Cependant, il faut se rappeler
que les mères les plus vigoureuses sont celles qui sont
élevées lorsque la récolte est abondante et dans des ruchées populeuses.

§ 301 Il faut veiller à ce que les ruchées aient toujours
une certaine quantité de miel dans les ruches ; car si elles
en manquaient absolument, vivant au jour le jour, elles
ne stimuleraient pas la ponte de la mère, dans la crainte
de manquer de nourriture suffisante pour le couvain ; or,
le commencement du printemps est l'époque qui décide
de la récolte. Il ne faut pas que l'apiculteur perde de vue
qu'une abeille ouvrière n'est butineuse que quinze jours
après sa naissance et trente-sept jours après que l'œuf
qui l'a produite a été pondu. Si donc la localité où on habite produit des fleurs mellifères en abondance en mai,
de la navette par exemple, les seules abeilles qui pourront
butiner sur ces fleurs devront avoir été pondues trente-
sept jours auparavant. Une abeille pondue le dix avril ne
récoltera pas avant le dix-sept mai. Or, comme plus il y a
d'abeilles butineuses dans la ruche, plus celle-ci récolte
de miel, c'est à l'apiculteur à faire préparer ses ouvrières
pour le moment de l'action. Et cela est d'autant plus nécessaire, qu'on a reconnu que, tandis qu'une ruchée de
dix mille abeilles récolte un kilogramme de miel, une ruchée de vingt mille en récoltera, non le double, mais au
moins trois fois autant.

§ 302. Il faut aussi veiller avec soin à ce que les ruchées ne soient pas tellement garnies de miel que la ponte

de la mère en soit diminuée. Si on trouve quelques ruchées où tous les rayons soient occupés, ou par des œufs,
ou par du miel, il faudra, si le miel n'est pas abondant et
que la ponte puisse encore fournir des abeilles butineuses
pour la récolte, se hâter d'ajouter un ou deux rayons
d'ouvrières ; mais il sera rare qu'on ait besoin de cette
addition si la ruche présente, dans la chambre à couvain,
quatre-vingt mille cellules, soit près de cent décimètres
carrés, § 32. Si le moment le plus favorable à la récolte
était proche, on n'aurait pas besoin de dépasser la quantité
de rayons ci-dessus. Si la place manquait dans la ruche
par suite d'excès de miel, on utiliserait cet excédant, soit
en le donnant à une ruche nécessiteuse, soit en préparant
un ou deux essaims, § 152 et suivants. On peut aussi faire
de la place à la reine en vidant le miel de quelques rayons
par le smélateur, § 248.

§ 303. Si dans ces visites on remarquait qu'une ruchée,
quoique ayant suffisamment de miel, d'abeilles et de place,
ne garnit pas ses rayons de couvain, on compterait les
larves et œufs de ce couvain, § 93, et si le nombre trouvé
n'excédait pas quarante mille, il faudrait remplacer la
mère qui, trop usée ou trop peu féconde, ne donnerait
aucun profit à son propriétaire. Pour remplacer une reine,
on fait faire des alvéoles à la ruchée qui a la meilleure
reine du rucher, § 148. On peut aussi changer tous les
rayons contenant du couvain de la mauvaise mère contre
un même nombre de rayons pris à la ruchée qui a une
bonne mère, puis on détruit la mère peu féconde pour
que ses abeilles en élèvent une. On utilisera les alvéoles
surnuméraires pour faire des essaims, § 157 et suivants.
Si la mère à supprimer avait été bonne dans sa jeunesse,
on devrait faire éclore des reines de son couvain.

§ 304. Il faudra avoir soin de prendre note, sur l'ardoise qui accompagne chaque ruche, § 234, de l'âge de chaque reine, afin de les remplacer avant que leur fécondité diminue. Le meilleur moment pour opérer ce remplacement est le commencement de la récolte : on greffe à chaque ruche, dont on a supprimé la reine, un alvéole clos, § 159, le lendemain du jour de l'enlèvement de la reine ; puis, pour empêcher l'essaimage, on fait la revue de tous les rayons sept jours après, pour enlever les alvéoles que les abeilles auraient pu construire. On peut aussi faire élever des reines dans des ruchettes, § 161, et les donner aux ruches ayant des mères à changer, à l'instant où on enlève celles-ci.

§ 305. Si on trouvait des ruchées tellement dépeuplées par l'hiver que leur reine ne puisse repeupler la ruche faute d'ouvrières assez nombreuses pour échauffer le couvain, il faudrait leur ajouter un rayon de couvain operculé pris à une ruchée, à laquelle on prendrait en même temps quelques jeunes abeilles pour les couvrir, § 153. Mais s'il était trop tard pour que la ruchée put refaire sa population pour la récolte, il vaudrait mieux la laisser se refaire seule ; le seul bénéfice qu'elle pourrait offrir, en cette saison, serait du couvain qu'on lui prendrait pour renforcer des essaims, § 169.

§ 306. On doit continuer la nourriture stimulante jusqu'au moment où les fleurs donnent du miel en abondance ; mais il n'est nécessaire de la donner que quand les abeilles sont retenues au logis, par le mauvais temps, pendant plus de deux jours.

§ 307. A mesure que les abeilles deviennent plus nombreuses dans chaque ruche, il faut agrandir les entrées,

en reculant la planchette mobile qui sert à les rétrécir,
§ 235. Mais il est d'une bonne pratique de resserrer la
largeur des entrées, le soir, si on prévoit une nuit froide;
le couvain s'en trouvera mieux et la reine pondra plus
que si l'entrée, grande ouverte, eût laissé pénétrer beaucoup d'air froid.

§ 308. Il ne faut pas craindre de troubler souvent les
ruchées au printemps, si on veut qu'elles élèvent beaucoup de couvain. Les abeilles dérangées se gorgent de
miel et en offrent à la mère, qui pond d'autant plus qu'elle
mange davantage. C'est même un moyen qu'on peut employer, au lieu de la nourriture stimulante, si les ruchées
ont beaucoup de miel. Quelques secousses imprimées à la
ruche, chaque soir, à une ou deux minutes d'intervalle,
suffisent.

§ 308 bis. Rappelons que les essaims artificiels doivent
précéder les essaims naturels de quinze à vingt jours; et
sachons à l'avance quelle pourra être l'époque de ceux-ci.
La précocité ou le retard de la végétation doivent être nos
guides, non-seulement pour l'essaimage, mais encore
pour les préparatifs en vue d'une abondante récolte, §
301.

§ 309. Aussitôt que la récolte commence à dépasser les
besoins journaliers des abeilles, § 254, il faut se hâter de
placer les boîtes de surplus, § 231, ou rayons à vider à
l'extracteur, § 261. Dès que ces derniers sont établis sur
les ruches, on doit les surveiller, pour les vider à mesure
que le miel est bon à récolter, pour que les abeilles aient
toujours à leur disposition une place suffisante pour emmagasiner toute leur récolte, § 245 et suivants.

§ 309 bis. En donnant de la place à temps, on empêchera presque complètement l'essaimage naturel. Cependant, s'il arrive un essaim, on le recueille en lui donnant une ruche pourvue au moins d'un rayon ; puis on surveille la ruche qui l'a donné et qui, huit jours après environ, pourrait en donner un second. Il faudrait lui rendre celui-ci le lendemain de sa sortie. (Voir le chapitre *essaimage naturel*.)

§ 310. Si on a deux récoltes principales au printemps, une de colza ou navette, en mai, et une de sainfoin ou autre fleur, en juin, il faut veiller à ce que la chambre à couvain ne se remplisse pas tellement de miel, lors de la récolte de mai, que la mère n'ait plus de place pour pondre. Pour cela, on doit visiter les ruchées qu'on soupçonne dans ce cas et leur vider quelques rayons par le smélateur. Faute d'avoir recours à ce moyen, la récolte de mai, c'est-à-dire donnant un miel inférieur, pourrait avoir la prééminence sur la récolte de juin, dont le miel est de première qualité.

§ 311. Le miel des crucifères, navette, colza, granulant facilement, si on n'en a pas une vente facile et qu'on veuille le conserver pour la nourriture des abeilles, doit être vidé, puis chauffé, afin de le mélanger avec quelques cuillerées à café de crème de tartre (quatre cuillerées à café pour 10 kilog. de miel), qu'on fait dissoudre à l'avance.

§ 312. Quand la récolte de juin est finie, si on a du miel de crucifères en provision, on peut vider entièrement les ruches de leur bon miel de sainfoin ou autres, et donner en remplacement du miel de qualité inférieure, qu'on mettra dans des nourrisseurs, § 269. Cet échange stimulera la ponte et préparera de nouvelles générations de butineuses pour la récolte d'août et septembre.

CHAPITRE XXII.

Soins à donner en été.

§ 313. Les soins à donner, en juillet, consistent à se-
courir les essaims en leur donnant du couvain ou du miel,
suivant les besoins, et en les stimulant à faire des bâtisses
par de l'eau sucrée, libéralement donnée, si on n'a pas la
ressource d'en acheter aux étouffeurs (¹). On aura le soin
aussi de stimuler la ponte des mères, soit par de l'eau
sucrée ou miellée, soit par de la farine, si les abeilles ne
trouvent ni miel, ni pollen dans les fleurs, afin d'entretenir une bonne population dans la ruche. Il n'y a guère
de contrées qui soient tellement dénuées de fleurs en
août-septembre, que les abeilles ne trouvent à ramasser
au-delà de leurs provisions, si elles sont assez nombreuses. Il ne faut donc pas négliger de refaire les populations,
diminuées par les causes de mortalité que les abeilles
rencontrent si fréquentes dans leurs excursions.

§ 314. Aussitôt que la principale récolte est terminée,
on doit lever les boîtes de verre dans lesquelles les abeilles
ont amassé du miel, les clore, § 257, séparer les pleines
de celles qui n'ont que des rayons insuffisants. Il ne faut pas
attendre pour enlever ces boîtes, parce que les abeilles saliraient les pleines et descendraient dans la ruche la plus
grande partie du miel des autres.

---

(1) Rappelons-nous qu'il faut prendre, en nourrissant les ruchées, toutes
les précautions nécessaires pour éviter le pillage.

§ 315. Il faut achever de vider, au smélateur, tous les rayons du chapiteau, § 233, les faire lécher aux abeilles et les serrer avec les soins recommandés au § 264. En même temps, on fait la visite des ruches, vidant des rayons à celles dont la mère n'aurait plus de place pour pondre, en échangeant ces rayons avec d'autres vides, pris à des ruchées ou des essaims moins bien pourvus.

§ 316. On doit voir, en même temps, si toutes les ruchées ont des mères fécondes, et en donner à celles qui n'en auraient pas. Un bon apiculteur a toujours en réserve quelques reines fécondes tenues dans des ruchettes, § 171, prêtes à parer à tout accident. A défaut de reine pondeuse, on peut donner à ces colonies un alvéole clos.

§ 317. Il faut terminer le remplacement de toutes les mères trop vieilles ou peu fécondes. Si on craint que les jeunes reines ne trouvent pas de mâles pour s'accoupler, on a dû en faire produire par une des meilleures ruchées, en lui glissant un rayon à cellules de mâles au milieu de rayons de couvain, et en lui enlevant sa mère, quand la récolte a cessé, pour que les abeilles ne les tuent pas. Si on avait négligé cette précaution, on pourrait y remédier, en nourrissant fortement la ruchée, après lui avoir donné le rayon de cellules de mâles, pour déterminer la mère à y pondre, ce qu'elle ne manquera pas de faire, si elle n'en a pas d'autre à sa disposition (1).

§ 318. Vers la fin d'août, on doit commencer à égaliser les ruchées, tant en rayons qu'en miel et en abeilles. Cette opération est très facile avec des ruches à rayons mobiles.

---

(1) Rappelons-nous aussi qu'il y a de nombreuses précautions à prendre, quand on ouvre une ruchée, en temps de disette de miel dans les fleurs, crainte de combats.

On commence par les ruches qui ont de l'excédant; on leur enlève ce qu'on juge convenable, diminuant, sans hésiter, la place d'un rayon, et on va porter ce ou ces rayons à une ruche ou à un essaim nécessiteux. Il est prudent de faire ces mutations dès août, parce que les abeilles, trouvant encore du miel, sont beaucoup plus douces que quand la récolte manque. Si, après avoir tout organisé, il reste des rayons pleins dont on n'ait pas l'emploi, on peut les mettre en réserve pour le printemps, ou les passer de suite au smélateur.

§ 319. Dans toutes les opérations qui précèdent, il faut avoir le soin d'éviter le pillage, qui est à craindre quand le miel est rare dans les champs. (Voir le chapitre où il en est question et relire les précautions nécessaires.) Dans certaines localités qui n'ont pas de fleurs d'été, les apiculteurs conduisent leurs ruchées dans des contrées qui ont du sarrazin ou de la bruyère. La pratique est bonne; on peut la suivre en se conformant aux indications du § 225 et du chapitre XIII. Mais il vaudrait encore mieux faire semer du sarrazin dans les environs du rucher, ce qu'on obtiendrait aisément en donnant la semence aux cultivateurs, soit pour récolte dérobée, soit pour enfouir en vert comme engrais.

Le mois d'août est aussi le moment de se procurer des bâtisses chez les étouffeurs; on doit se souvenir que les bâtisses sont la fortune des abeilles et des apiculteurs.

CHAPITRE XXIII.

Soins à donner en automne.

§ 320. C'est de la manière dont les abeilles ont passé l'hiver que dépend souvent leur réussite. On doit donc en automne préparer les ruchées pour leur procurer un bon hivernage. Les conditions indispensables sont : 1º beaucoup d'abeilles ; 2º une suffisante quantité de miel operculé ou de sirop épais ; 3º une habitation convenablement préparée.

§ 321. Si l'apiculteur a suivi les instructions qui précèdent, il aura des ruches bien peuplées à la fin de septembre ; les abeilles seront nombreuses dans les ruches et il aura encore un peu de couvain. Si la récolte se prolonge tard et que les fleurs donnent plus que la ruchée ne peut consommer, il devra vider quelques rayons à chaque ruche pour redonner un peu de place à la reine ; car, surtout à cette époque, la ponte est nécessaire. C'est le couvain qui mange le miel non encore operculé ; en octobre il fait trop froid pour que les abeilles puissent évaporer le miel fraîchement récolté ; ce miel n'est donc pas en conditions convenables pour être operculé, il contient trop d'eau.

S'il n'y a plus de couvain pour le consommer, il restera en grande partie comme provision d'hiver ; car les vieilles abeilles consomment peu, tant que le froid ne les force pas à manger pour produire de la chaleur. Le miel est, comme chacun sait, très hygrométrique ; celui qui est operculé ne peut se charger d'eau, mais celui qui ne l'est pas s'en imprègne au point de couler des cellules. Cette humidité dans la nourriture, se joignant à l'humidité produite dans la ruche par la digestion des abeilles, donne la dyssenterie à la colonie, qui se dépeuple et peut mourir avant la fin de la mauvaise saison. Voilà pourquoi il est bon que la reine ponde, surtout si la récolte a été prolongée jusqu'à la veille des jours froids; et s'il y a, par suite, une certaine quantité de miel non operculé dans la ruche, ce dont il est facile de se rendre compte au moyen des cadres, il est facile d'obtenir que la reine ponde si elle a de la place, soit en donnant quelques cuillerées d'eau sucrée, soit en ébranlant la ruche pendant quelques minutes, trois ou quatre soirs de suite.

§ 322. Dans le paragraphe précédent, j'ai supposé le cas où les ruchées auraient plutôt trop que trop peu de miel, comme cela devra avoir lieu neuf années sur dix, si le rucher a été bien conduit. Si les ruchées n'avaient pas dix kilog. de miel à la fin de septembre, il faudrait les leur compléter. Ces dix kilog. ne seraient pas suffisants pour aller à la récolte suivante, si on voulait obtenir une récolte passable; mais ils suffiraient pour passer les mauvais jours de l'hiver. Pour donner cette nourriture, voir le chapitre sur le nourrissement des abeilles.

§ 323. Pour préparer la ruche afin de procurer aux abeilles un bon hivernage, il faut savoir que les abeilles craignent plus l'humidité que le froid. Sans doute, le froid leur est nuisible, il les force à manger beaucoup, ce qui leur donne le besoin de sortir souvent pour se vider; il fait périr les abeilles qui sont surprises par la fraîcheur entre des rayons loin du groupe principal; il fait mourir

encore celles qui, après avoir consommé tout le miel qui
est à leur portée, n'osent pas quitter le rayon où elles
sont pour aller à un autre ; mais il est moins à redouter
qu'une humidité excessive. Il est vrai cependant que le
froid engendre l'humidité en forçant les abeilles à manger
beaucoup et en congelant leurs émanations sur les parois
intérieures de leur habitation. Il faut donc chercher à diminuer ces deux inconvénients. Voici quels sont les
moyens que j'emploie :

§ 324. On a remarqué que ma ruche est à doubles parois par derrière, § 229 ; qu'elle a en outre un diaphragme
de chaque côté de la chambre à couvain, § 228. La ruche
est donc protégée contre le froid de trois côtés, surtout si
on a la précaution de ne laisser dans la chambre à couvain que sept rayons et de remplir de paille ou de foin,
ou de mousse, ou de feuilles sèches les places libres entre
les diaphragmes et les parois. Pour plus de commodité,
on peut préparer avec de vieux chiffons des coussins
minces qu'on emplit de foin et qu'on glisse de chaque
côté des diaphragmes ; ils sont vite mis en automne et
vite enlevés après l'hiver.

§ 325. Le devant de la ruche n'a qu'une seule épaisseur de planche ; je préfère le laisser mince pour que le
soleil échauffe aisément les abeilles et les invite à changer
de place pour avoir du miel et à sortir pour se vider ; car,
à tort ou à raison, je crois que les abeilles se portent
mieux quand elles sortent souvent que quand elles sont
retenues pendant longtemps dans leur ruche par le froid.
Je sais que bien des apiculteurs sont d'un avis différent ;
ils prétendent que les abeilles consomment trop de miel.
Mais cette sur-consommation n'a pas lieu sans une sura-

bondance de ponte qui, à mon avis, n'est jamais nuisible s'il y a du miel dans la ruche pour y faire face.

§ 326. Quand le moment de l'hivernage est arrivé, c'est-à-dire quand les fleurs ont disparu devant les premières gelées, j'enlève la toile qui couvre les rayons et je la remplace par un couvercle de papier, § 221. Ce couvercle présente un côté creux et un côté plat. Si la population est nombreuse, je mets le côté creux en dessous ; les abeilles ont par conséquent un large espace au-dessus d'elles, où l'air échauffé peut monter et se débarrasser de son humidité, la chaleur étant retenue par le papier qui est mauvais conducteur et très hygrométrique et qui cède l'humidité qu'il a contractée, à un léger courant d'air qui circule dans le chapiteau, § 216, au moyen de deux trous de quinze millimètres, percés dans les bouts, à deux centimètres du dessus, et fermés en dedans par de la toile métallique. Si la ruche est peu populeuse, je place le couvercle de papier le côté plat en dessous, pour qu'il conserve mieux la chaleur.

§ 327. Ce couvercle de papier, simplement posé sur la tranche des planches de l'avant et de l'arrière de la ruche et sur les deux diaphragmes, ne joint pas tellement juste qu'il ne puisse s'y glisser un léger filet d'air sur plusieurs points de son contour. Ce léger intervalle aide au renouvellement de l'air. J'ai soin de rendre ce courant aussi faible que possible en diminuant l'entrée des abeilles à un centimètre de largeur, au moyen de la planchette décrite § 235. Par ce moyen, je n'ai pas à craindre l'asphyxie des abeilles dans le cas où la glace ou les cadavres d'abeilles viendraient à fermer complètement l'entrée.

§ 328. Le couvercle étant complètement mobile, il est

très facile de se rendre compte, pendant toute la morte saison, de l'état des abeilles et de leurs provisions ; on n'a qu'à soulever ce couvercle pour cette inspection dont les abeilles souvent ne se doutent pas, tant elle ébranle peu la ruche.

§ 329. Dans les pays du nord, il est nécessaire de placer les ruches dans des caves ou des silos, ou des chambres entretenues obscures et à température fraîche et uniforme ; mais dans les climats tempérés, ces précautions ne sont pas nécessaires, surtout si on a des ruches à doubles parois et bien exposées. Nous ferons remarquer ici qu'on ne doit changer les ruches d'emplacement que lorsque le changement est indispensable ; car, même en hiver, les abeilles se souviennent de leur ancienne place. Se souvenir de la précaution indiquée § 154. Il est des cas cependant où il est avantageux de placer des colonies en caves ou en silos, c'est lorsqu'à la fin de l'été on a quelques colonies trop faibles en population pour bien passer l'hiver, et que cependant ces colonies possèdent des mères de choix. Ceux qui élèvent des reines abeilles italiennes sont souvent dans ce cas ; leurs ruchettes n'ont souvent que peu d'abeilles, elles contiennent de jeunes reines qu'on a reconnu purement fécondées ou qu'on suppose telles, on doit alors chercher à les conserver ; si on y parvient, on aura pour le printemps de jeunes mères à donner aux colonies nombreuses en population qui auront pu devenir orphelines pendant l'hiver. Le nombre de ces orphelines dépasse souvent trois pour cent. Une ruchette contenant un litre d'abeilles, ou même moins, peut passer l'hiver avec moins de 3 kilog. de miel. On porte la ruchette dans une cave obscure, on la soulève à l'arrière d'un demi-centimètre, on soulève son plafond d'autant. Si elle n'a qu'une toile, on la remplace par une planche soulevée, pour établir un courant d'air. La ruchée, si la cave est bien obscure, d'une température égale, tranquille et sèche, sera bien vivante en mars. On introduira alors sa mère en la mettant dans un étui, § 151, et on réunira sa population, § 342.

CHAPITRE XXIV.

Soins à donner au miel et ses usages.

§ 330. A mesure que le miel coule du smélateur, on doit le recevoir dans des pots de grès, l'y laisser pendant 12 à 24 heures, pour qu'il dépose ; écumer tous les débris de cire, les abeilles, autres insectes et corps étrangers ; puis le mettre en barils pour le conserver en un endroit frais et sec. Le miel, en général, granule bien s'il a été tiré des rayons lorsqu'il était operculé ou sur le point de l'être. Cependant, certains miels se refusent à la granulation. Le miel d'acacia est dans ce cas, tandis que le miel de colza granule trop. J'ai trouvé au Piémont, dans des ruches, en août, du miel granulé en rayons, qui avait été récolté au mois de mai précédent.

§ 331. Pour empêcher les tonneaux, dans lesquels on met le miel, de le laisser couler, on attend qu'ils soient bien secs après les avoir rincés, s'ils ne sont pas neufs ; on les expose au grand soleil, pour que leur intérieur s'échauffe ; pendant ce temps, on fait fondre cinq kilogrammes de cire, auxquels on ajoute un demi-kilogramme de saindoux ; quand cette cire est bouillante, on la verse vite dans le tonneau, qu'on remue bien en tous sens, pour que la cire pénètre partout ; puis on fait sortir la cire et on égoutte le tonneau, qui n'en a pas absorbé plus d'un demi-kilog. Le miel se trouvant ainsi logé dans son logement habituel, la cire, il ne peut contracter de mauvais goût, et tout déchet ou toute retenue du destinataire est évité, puisque le baril ne peut plus couler, surtout si le tonneau n'a pas été entièrement rempli.

§ 332. Le miel peut être employé à divers usages : on le mêle à la vendange pour qu'il donne plus d'alcool au vin ou au moût dès qu'il est tiré ; on le mêle aux liqueurs pour les sucrer, il leur donne plus de moelleux ; on s'en sert au lieu de sucre pour faire des marmelades, des confitures, des nougats ; il est la base des pains d'épices.

§ 332 *bis*. Quatre à cinq kilogrammes de miel, mis dans cent litres d'eau qu'on écume en les faisant bouillir, et auxquels on ajoute un peu de levure de bière, donnent, après huit jours de repos, quand la fermentation est terminée, une boisson mousseuse et rafraîchissante qu'il faut avoir le soin de conserver en bouteilles ficelées et qui s'améliore en vieillissant.

§ 333. En augmentant la dose de miel, par le même procédé que ci-dessus, on obtient de l'hydromel d'autant meilleur et d'autant plus alcoolique qu'on a mis plus de miel ; certains apiculteurs mettent moitié, en poids, de miel de la quantité d'eau qu'ils emploient ; d'autres mettent autant de miel que d'eau ; d'autres plus de miel que d'eau ; tous obtiennent de bons résultats comparativement, si le miel employé est de bonne qualité et la préparation faite proprement, et surtout placée en vases ayant bon goût. Cette liqueur peut être aromatisée par de la canelle, de la muscade, etc., ou être laissée sans aromates ; et si l'apiculteur peut la laisser vieillir, au bout de moins de dix ans elle vaudra du vin d'Espagne.

§ 334. Parfois, en préparant ces boissons, la fermentation, surtout si on opère pendant l'été, peut dépasser le but, et au lieu de vin on a du vinaigre ; on étend d'eau suffisamment pour que tout le sucre puisse aisément être converti en acide acétique, et on a d'excellent vinaigre. Toutes les eaux de lavage de cire provenant des opercules des rayons passés au smélateur, § 249, ainsi que les eaux de lavage des ustensiles, doivent être conservées avec soin, pour en faire du vinaigre, après les avoir laissées déposer, les avoir fait bouillir, écumer et fermenter dans un lieu chaud.

CHAPITRE XXV.

Extraction de la cire.

§ 335. Les méthodes que nous avons décrites ne sont pas favorables à la fonte des rayons, aussi la production de la cire diminuerait considérablement par nos méthodes si elles ne donnaient pas le moyen de doubler ou de quadrupler le nombre des ruchées tenues dans la même localité. On suppléera alors par le nombre à la quantité obtenue de chaque ruche ; et puis, si, par suite de sa rareté, la cire doublait de prix, elle ne compenserait pas encore la valeur du miel qu'elle a coûté.

L'apiculteur ne fondant plus de bâtisses, mais seulement des rognures et des opercules de rayons, n'a plus besoin de presses d'un prix élevé. Ces presses ne lui servent plus non plus pour extraire le miel, puisqu'il a le smélateur qui coûte moins. Il est donc dans la nécessité de trouver un moyen de fondre son peu de cire économiquement et avec le moins de perte possible.

§ 336. On doit mettre, à mesure qu'on les obtient, les débris de rayons en lieu sûr, pour que les teignes n'y pondent pas, §§ 194, 265. Quand on en a une quantité suffisante pour emplir le vase qu'on destine à cet usage, on y met, avec assez d'eau pour qu'elle trempe, la cire, la veille ou quelques jours avant celui où on doit fondre ; on met sur un fourneau et on remue pour faire tout fondre sans bouillir ; quand tout est fondu, on modère le feu et on place dans le vase un carré de toile métallique dont on a plié les bords de manière à faire une espèce de boîte ; on puise dans cette boîte, au moyen d'un pochon, la cire à mesure qu'elle vient, sans se préoccuper de l'eau qu'on pourrait puiser avec. Quand la quantité de cire à puiser est insignifiante, on place le vase dans un endroit chaud, pour que le tout refroidisse lentement ; quand tout est froid, on jette le marc et on conserve, pour une subséquente opération, la partie du marc liée par la cire restant de la fonte.

§ 337. Quand on a réuni une certaine quantité de cire, au moyen de ces fontes partielles, on refond le tout avec de l'eau ; pour éviter d'avoir le désagrément de détacher ce qu'on appelle le pied de cire, on puise, comme ci-haut, tant que la cire est claire, et on verse dans un vase ou moule pour refroidir. Ce transvasement doit se faire à une température juste suffisante pour que la cire soit fondue. Le pied de cire est conservé pour être mêlé à une fonte partielle subséquente.

Sans doute, par ce moyen, on n'obtiendra pas, surtout dans les commencements, toute la cire du marc ; mais comme un rucher de cent ruches bien tenues ne doit pas donner plus de dix à quinze kilog. de cire, la très petite quantité de cire perdue, montant à deux ou trois hectogrammes pour toute l'année, sera peu de chose si nous la comparons à l'intérêt d'une presse un peu forte qui ne coûterait pas moins de deux cents francs, sans compter sa dépréciation annuelle et la place qu'elle occupe.

Par les simples moyens indiqués plus haut, on obtiendra de la cire de toute première qualité, comme avec le smélateur on n'obtient que du miel exclusivement de premier choix.

CHAPITRE XXVI.

Remarques, pièces à l'appui et cultures spéciales.

§ 338. Les apiculteurs à rayons fixes qui m'auront suivi jusqu'ici n'auront pu s'empêcher de remarquer qu'il existe de notables différences entre mes enseignements et ceux qu'ils ont puisés dans les écrits les plus en renom des auteurs français qui sont dévoués à l'apiculture à rayons fixes, tels que MM. Hamet, Collin et autres. Il est bon de jeter un coup d'œil sur ces désaccords, afin de les bien préciser ; car deux idées différentes ou opposées, sur le même sujet, ne peuvent pas être vraies toutes deux au même degré ; et naturellement un enseignement différent doit conduire à une pratique différente, qui elle-même aboutira à des résultats dissemblables, soit en mieux, soit en pis.

§ 339. J'ai écrit, § 2, que certaines mères déposent plus de trois mille œufs dans un seul jour. M. Collin, dans son *Guide du propriétaire d'abeilles*, édition de 1865, estime le nombre d'œufs pondus par une mère à 600 au plus (page 25). De son côté, le professeur d'apiculture de Paris, M. Hamet, a écrit dans son journal pour 1872, page 197, qu'il y a des jours où les abeilles pondent plus de quinze cents œufs ; *mais que toutes les mères ne pondent pas tant que cela les jours où elles pondent le plus.* Voilà un premier désaccord, qui est d'autant plus grand que je dis, § 92, qu'il est d'une bonne gouverne de remplacer toutes les reines qui, en circonstances favorables, n'ont pas pondu dix-huit cents œufs par jour.

§ 340. La quantité d'œufs qu'une mère peut pondre est un fait matériel si facile à constater, § 93, qu'on s'étonnerait qu'il pût exister une divergence d'opinion entre les apiculteurs, si on ne remarquait que le compte des œufs qu'une mère dépose ne peut se faire qu'autant que les rayons de la ruche sont mobiles. Or, seuls, les apiculteurs à rayons mobiles ont pu faire ce compte. Voici quelques-uns de leurs résultats : M. d'Heilly, curé D'Ennery, près Pontoise, m'a dit avoir compté les œufs déposés par ses reines, en 1872, et que plusieurs avaient dépassé 3,000 œufs par jour pendant le moment de la grande ponte. Ses 46 ruchées n'avaient pas, en moyenne, moins de 48 à 50 mille alvéoles occupés par du couvain en même temps ; ce qui suppose une ponte moyenne de 2,200 œufs par jour.

M. le général Avair, dans la réunion des apiculteurs des Etats-Unis, à Indianapolis, en décembre 1872, a annoncé avoir trouvé, dans une ruche d'une grandeur pour ainsi dire illimitée, soixante-quinze mille cellules occupées par du couvain; ce qui porte la ponte de la mère à 3,570 œufs par jour, pendant vingt-et-un jours. (*American-Bee-Journal*, janvier 1873.)

§ 341. Je ne multiplierai pas ces citations ; je ferai seulement remarquer que j'ai dit, § 94, qu'il faut, pour obtenir une grande ponte, que la capacité de la ruche s'y prête. Or, M. Collin parle d'expériences faites sur des ruches d'une capacité de dix-huit litres ; et M. Hamet dit, dans son journal de mai 1870, page 237, qu'une ruche de 25 litres est suffisante. Or, une ruche de 27 litres, contenant, d'après le même auteur (*Cours d'apiculture*, édition de 1866, page 52), 49,472 cellules, une ruche de 25 litres n'en contiendra que 46,000, et sera bien loin d'être suffisante pour obtenir une ponte de 3,000 œufs, qui exige plus de soixante mille cellules, sans compter la place nécessaire aux provisions.

§ 341. Cette différence de manière de voir entre les apiculteurs à rayons fixes et les partisans des rayons mobiles doit, dans la pratique, amener des différences considérables quant aux résultats, une ruchée dont la mère dépose trois mille œufs par jour ayant une population double d'une autre dont la reine n'a de place que pour en pondre quinze cents. S'il y a un point sur lequel les deux systèmes sont d'accord, c'est qu'il faut, pour réussir, avoir de fortes populations. M. Collin a écrit avec raison (page 200 du *Guide*) qu'un essaim fort amassera, non pas deux fois, mais de trois à quatre fois autant qu'un autre essaim qui serait faible de moitié. Or, quel est le meilleur moyen d'obtenir des populations fortes? ce n'est pas d'obtenir beaucoup d'essaims pour les réunir ensuite, comme le veulent MM. Hamet et Collin, puisque ces messieurs eux-mêmes reconnaissent que la ruche mère et l'essaim amassent moins que n'eût fait la ruche seule si elle n'eût pas essaimé (*Guide* Collin, pages 135 et 136).

§ 342. Ces réunions, le lecteur a dû remarquer que je ne les conseille pas, quoiqu'elles soient la panacée des apiculteurs à rayons fixes. Réunir deux colonies, c'est en faire mourir une ; or, mes leçons ont pour but, non d'enseigner comment on enterre, mais comment on fait vivre ; non comment on change une pièce de un franc contre cinquante centimes, mais comment on lui fait produire

11

deux francs. Pour cela, il ne faut que quelques soins, peu
longs à apprendre, peu longs et peu difficiles à donner ;
et parmi ces soins, un des plus utiles, c'est de faire en
sorte que toutes les mères du rucher soient bonnes pondeuses, ce à quoi on arrive par le choix des reproducteurs et en donnant une place suffisante.

§ 343. Vous avez deux ruchées qui ne marchent pas
bien parce que leurs mères sont vieilles ou peu fécondes,
vous les réunissez et obtenez *momentanément* une population plus abondante ; mais la mère qui survivra n'est pas
changée et vous avez en fin de compte une mauvaise colonie au lieu de deux. Je crois que personne ne soutien-
dra que notre moyen, § 92, ne soit meilleur. Comme il
peut arriver cependant que l'apiculteur ait des réunions à
faire, je vais indiquer comment on doit opérer. Il faut
avant tout détruire la moins bonne des deux mères. On
laisse la population orpheline pendant au moins six heures ;
puis, si c'est par un temps chaud, on attend qu'il soit
presque nuit, on fait gorger la population, § 182, et on la
brosse devant l'entrée de la ruche qui devra la recevoir ;
on a dû auparavant donner son couvain, si elle en a, à la
ruchée qui doit recevoir la réunion. On n'a plus qu'à
mettre un bloc quelconque devant l'entrée pour que les
abeilles retrouvent leur nouvelle habitation. Si on opère
par un temps frais, le lendemain matin du jour où on a
supprimé la mère, on ouvre la ruche et on lève avec précaution les cadres qui portent les abeilles, puis on les
descend dans l'autre ruche. On peut lever trois ou quatre
cadres d'un seul coup, sans les désunir, en mettant les
doigts entre eux pour maintenir leur intervalle. Pour que
l'opération aille plus vite, on a eu le soin de préparer

d'avance la place qui doit recevoir les cadres et de diminuer le nombre des rayons à introduire. Comme on ne
réunit que des populations faibles, généralement trois
cadres au plus suffiront pour tout contenir. Si, par mala-
dresse, on avait fait tomber des abeilles sur le plateau de
la ruche à réunir, on ferait bien d'attendre au soir pour
les brosser devant la ruche qui aurait reçu la réunion.
N'ayant jamais eu besoin d'asphyxier momentanément les
abeilles, je n'ai jamais employé ce moyen violent et dan-
gereux, et crois son emploi inutile.

§ 344. J'ai dit, § 20, que la moyenne de la vie des ouvrières, en été, ne dépasse pas trente à trente-cinq jours,
et qu'une abeille ouvrière, dans les meilleures circonstances, ne voit jamais son anniversaire. M. Hamet, dans
son cours, page 28, écrit à propos des mâles : « Ils
« ne vivent guère plus de deux ou trois mois, quoiqu'ils
« puissent vivre tout aussi longtemps que l'ouvrière,
« c'est-à-dire environ un an. ». Dans son journal de
1871, page 313, M. Hamet écrit : « On sait maintenant
« que les ouvrières peuvent vivre un an ou un peu plus,
« mais que la moitié n'atteint pas six mois, surtout parmi
« celles qui naissent au printemps. » Or, tout apiculteur
qui a introduit des reines italiennes dans son rucher sait
que, s'il remplace une reine commune fin septembre, il
n'y aura plus une seule abeille commune à la fin de mai
dans la ruche. S'il fait l'échange de reines au premier
mai, toutes les abeilles communes seront remplacées par
des italiennes au premier août suivant. Huit mois en hiver et trois mois en été, voilà la durée extrême de la vie
des abeilles, c'est-à-dire moitié moins de temps que le
professeur du Luxembourg ne l'enseigne. Si nous défal-

quons des quatre-vingt-dix jours, durée extrême de la
vie des abeilles en été, les vingt et un jours qui ont suivi
l'enlèvement de la reine commune, pendant lesquels les
œufs pondus le jour même de son départ se sont transfor-
més, il nous reste soixante-dix jours comme durée extrême et trente-cinq jours comme durée moyenne de la
vie des ouvrières en été. Dans un article publié par le
Bienenzeitung, le célèbre apiculteur Dzierzon, en août
1873, nous dit « que pas une abeille née en avril ou mai
« ne sera vivante six semaines après, ou seulement très
« peu ; tandis que celles nées plus tard peuvent vivre plus
« longtemps.

« Celles écloses en août ou septembre paraissent, six
« mois après, aussi jeunes et actives que si elles venaient
« de naître.

« Tel est le résultat du travail constant et incessant du-
« rant l'été, et du repos prolongé de l'hiver. »

Je n'ai jamais constaté la longévité des abeilles écloses
en avril ; si elles ont si peu de durée, cela tient à ce que,
en outre de la fatigue, elles ont à endurer les alternatives
de chaud et de froid auxquelles elles ne sont plus exposées pendant les mois de la fin du printemps et de l'été.

M. Collin aussi est en désaccord avec M. Hamet, car il
a écrit qu'on peut admettre comme vrai que la ruchée renouvelle une fois sa population de septembre à mai et
deux ou trois fois de mai à septembre.

§ 344 *bis*. Dans les articles publiés en 1870, dans le
Journal des Fermes, j'ai donné la description d'une
ruche sous le nom de : *ma ruche de prédilection*. Les
anciens abonnés de ce journal s'étonneront de me voir
en prôner une autre. Les deux formes sont dans mon ru-

cher, à l'épreuve depuis dix ans, et il me semble que la
ruche Quinby, avec ses cadres longs, a plus de couvain au
printemps que la ruche de prédilection avec ses cadres
carrés ; cela ne veut pas dire que cette dernière doive être
mise au rebut, mais que si j'avais à choisir entre les deux
je préférerais la ruche Quinby. J'engage donc les apiculteurs qui ont de ces ruches à les conserver en y introdui-
sant, si faire se peut, les améliorations que j'ai indiquées
pour la ruche Quinby et que j'ai fait subir à ces ruches.

On peut très bien cependant faire de la bonne apiculture
avec rayons mobiles, sans tous les changements que j'ai
fait subir à la ruche Quinby, même avec des ruches construites à la manière allemande ou italienne ; mais en apiculture, comme en toute autre industrie, on doit, si on
veut se maintenir à la hauteur du progrès et obtenir le
plus de résultats avec le moins d'efforts, perfectionner les
outils qu'on emploie. Il y a un fait aujourd'hui incontes-
table, c'est que la ruche à cadres qui s'ouvre par le dessus, et qui a ses cadres indépendants les uns des autres,
ou ruche américaine, l'emporte en facilité de maniement
sur toutes les formes connues. Un second fait, également
indiscutable, c'est qu'il faut que la ruche soit assez grande
pour loger toute la ponte et les provisions. Ensuite vient,
suivant moi, un autre fait : c'est la nécessité d'avoir des
cadres aussi grands que possible ; et enfin je prétends que
les cadres plus longs horizontalement que verticalement
donnent plus de couvain, conséquemment de plus fortes
populations que les cadres carrés, et surtout que les cadres
dont la plus grande longueur est verticale. Je compte sur
le temps pour décider si ces deux dernières propositions
sont exactes.

Je prie le lecteur de ne pas penser que si je fais remarquer ces différences de doctrine, sur des points qu'il est si facile d'élucider, c'est par esprit de dénigrement que j'agis ou pour me venger des injures qui m'ont été prodiguées par le célèbre professeur, mon but est tout autre et plus élevé. Cette question de la durée de la vie des ouvrières est des plus importantes. Quand l'apiculteur sera bien convaincu de la courte existence des abeilles, il comprendra pourquoi j'insiste tout le long de cet ouvrage sur la nécessité de pourvoir constamment la reine de cellules où elle puisse déposer ses œufs, afin d'avoir toujours des ruchées populeuses.

§ 345. Dans l'impossibilité de remplacer les rayons de mâles par des rayons d'ouvrières, les apiculteurs à rayons fixes ont cherché différents moyens pour détruire les mâles. Ils ont inventé des grilles à mailles étroites pour les empêcher de rentrer dans la ruche ; ces grilles gênent la circulation des abeilles et n'empêchent pas que le miel qui a été consommé par les mâles ne soit perdu ; elles ne font pas non plus que la ruchée ait élevé un aussi grand nombre d'ouvrières que si toutes les cellules eussent été petites. Ici nos méthodes valent mieux encore que les méthodes à rayons fixes.

§ 346. Une des plus grandes divergences d'opinion entre les deux systèmes se trouve dans le coût de la cire. M. Collin prétend que la cire ne coûte parfois aux abeilles que son poids de miel. M. Hamet, dans son journal pour 1871, page 111, écrit : « Des observations pra- « tiques nous ont démontré, ainsi qu'à M. Collin, que de « trois à cinq parties de miel absorbé par les abeilles à « l'état libre, peuvent donner une partie de cire dans cer-

« taines circonstances. » Comme M. Hamet ne détaille
nulle part ses observations pratiques ni ce qu'il appelle
certaines circonstances, je vais examiner les expériences
faites par M. Collin telles qu'il les a décrites dans l'*Apiculteur* 1869-1870, sous le titre : *Considérations sur les
bâtisses*, et en faire une compte analyse. M. Collin prend
douze essaims, les sépare en deux lots de six chacun. Il
loge un des lots en ruches vides, à l'autre lot il donne des
ruches garnies de rayons de cires vides. Trois ou quatre
semaines après il pèse chaque lot, et comme il se trouve
que les essaims logés en ruches vides, et qui ont fait leurs
bâtisses, ne pèsent qu'un kilogramme de moins chacun
que ceux qui ont été logés en ruches bâties, M. Collin en
conclut que la bâtisse de chaque ruche, qui pèse six cents
grammes, n'a coûté aux abeilles qu'un kilogramme six
cents grammes, c'est-à-dire moins de trois grammes de
miel pour produire un gramme de cire.

Ces expériences semblent concluantes, cependant elles
n'ont absolument aucune valeur ; car les reines des essaims logés en ruches vides n'ont pas eu, dès le commencement, toute la place nécessaire pour y déposer leurs
œufs, les bâtisses ne se construisant qu'à mesure du besoin ; tandis que les reines des essaims logés en ruches
bâties pouvaient déposer, ainsi que nous l'avons vu, jusqu'à trois mille œufs par jour, aussitôt après l'installation
dans les ruches. Or ce couvain nombreux, qui a dépensé
du miel et du pollen en grande quantité, ne représente
pas la sixième partie en poids du miel qu'il a consommé.
Pour arriver à une estimation approximative du coût de la
cire, par le moyen employé par M. Collin, il aurait fallu
compter les abeilles dans les deux lots et faire l'estimation

du miel que la différence de population avait dû coûter, estimation qui, dans l'état actuel de nos connaissances apicoles, est tout simplement impossible si on la veut exacte. Les apiculteurs américains sont d'accord avec les allemands, les italiens, les anglais, pour supposer que la cire coûte aux abeilles ce que toute graisse coûte aux animaux qu'on nourrit au grain, environ six grammes pour un. Je crois qu'en adoptant la même base pour établir le coût d'un kilogramme d'abeilles ou 10,000 abeilles, on serait bien près du poids exact. Si donc chaque essaim logé en ruche bâtie avait vingt mille abeilles de plus que les essaims logés en ruches vides, nous arriverions à trouver que la cire des essaims leur coûtait onze kilogrammes six cents grammes. Je suis convaincu que la différence du nombre d'abeilles était plus forte et que le coût de la cire était encore plus grand.

§ 347. Dans le § 31, je condamne toute taille des rayons comme nuisibles, à moins que les rayons ne soient tout-à-fait détériorés. J'ai écrit en outre, § 34, que des bâtisses âgées de vingt ans sont aussi bonnes que de plus jeunes ; je me trouve encore en complet désaccord avec M. Collin, qui a écrit dans son *Guide,* page 88, qu'une ruchée ayant des bâtisses de cinq à six ans ne prospère plus, et avec M. Hamet, qui professe que les gâteaux noirs sont rétrécis par les pellicules qu'y déposent les larves, que le couvain ne peut plus bien s'y développer, et qui engage à rajeunir ces rayons, soit en forçant les abeilles à les reconstruire entièrement, soit en coupant les rayons au printemps jusque contre le couvain, etc., etc.

Tous les apiculteurs à rayons mobiles sont d'accord aujourd'hui pour condamner cette taille des rayons qui est une des pratiques les plus nuisibles qu'on puisse adopter. M. S. Wagner a eu une ruchée dont les bâtisses avaient 25 ans de durée sans qu'elle ait donné des signes de décadence, soit par le manque de grosseur et de vigueur des abeilles, soit dans leur nombre. J'ai des ruchées qui ont des rayons âgés de quinze ans, je les visite chaque printemps et n'ai pas encore pu remarquer la moindre diminution, soit de population, soit de produit. Il est donc probable que cette diminution de prospérité, que M. Collin a remarquée dans ses ruchées à rayons de 5 à 6 ans, provient de toute autre cause, probablement d'excès de miel, excès qui se produit vite dans une ruche de 18 à 25 litres de capacité ; cet excès, accumulé chaque année, a fini par rétrécir l'espace où la mère pouvait pondre ; et comme toutes les ruchées du même âge présentaient le même inconvénient, on a conjecturé que la décadence provenait de l'âge des bâtisses. Heureusement les rayons mobiles et le smélateur ont démontré la fausseté de cet enseignement désastreux. Quant au rétrécissement des cellules, voir le § 99.

§ 348. J'enseigne que l'essaimage par la chasse est mauvais, parce qu'il prive la vieille ruchée de la plus grande partie de sa population et qu'il loge l'essaim dans une ruche nue ; que l'essaimage par division est pire encore, parce qu'une des divisions est sans mère pondeuse pendant 22 jours au moins et que cette division ne construit, tout ce temps, que des alvéoles de mâles ; l'école des rayons fixes n'en peut pratiquer d'autres, en outre il ne lui est pas possible de renouveler ses reines par la sélection, qui augmente la ponte des mères abeilles comme elle a déjà augmenté celle de nos poules qui, à l'état naturel, ne pondaient que 25 ou 30 œufs, et qui en pondent plus d'un cent chaque année ; de nos pigeons qui, de trois couvées par an, ont été amenés à en pondre huit ou neuf et même dix.

§ 349. Je vante les abeilles italiennes qui, à chaque réunion des apiculteurs américains, sont recommandées pour leurs qualités, voir le rapport de la Société des apiculteurs de l'Amérique septentrionale (*American-Bee-Journal*, janvier 1873, page 159) où un vote unanime s'est déclaré en faveur de l'abeille italienne. Ce résultat a toujours été le même dans toutes les réunions d'apiculteurs des Etats-Unis où la question a été posée ; tandis qu'en France M. Collin, qui ne la connaît même pas, puisqu'il écrit qu'elle n'a que deux bandes jaunes, lui trouve nombre de défauts (*Guide*, page 255) ; et M. Hamet montre qu'en juillet 1870 il ne savait pas encore l'introduire, en écrivant à M. Mona qu'il a eu la plus grande difficulté à faire accepter par les abeilles celle qu'il venait de recevoir. Quant à la conservation de l'espèce, il a enseigné, dans l'*Apiculteur*, qu'il fallait, pour l'entretenir pure, éloigner son rucher de six kilomètres de toute colonie commune, moyen qui serait excellent s'il n'était tout-à-fait impossible.

§ 350. La question des ruches est encore une de celles qui nous divisent ; c'est même celle qui nous divise le plus. « La ruche est à l'apiculture ce que la charrue est à « la culture des champs. » C'est M. Hamet qui a écrit cela dans son journal de 1872, page 219. Je suis complètement de son avis. Mais comme il y a de mauvaises charrues, il y a aussi de mauvaises ruches. J'ai vu en Italie des charrues primitives, grossièrement faites en bois, qui exigeaient la force de deux gros bœufs ; tandis qu'une charrue américaine, bien faite, traînée par deux chevaux légers, aurait fait la même besogne deux fois aussi vite et certainement beaucoup mieux. Dans son rapport sur l'exposition des insectes d'octobre 1872, M. Hamet s'exprime ainsi : « A propos de ruches dans lesquelles des partisans « font consister toute l'apiculture, il est bon de rappeler « quelques axiomes qui ne paraissent pas toujours être « connus des inventeurs :

« Le prix de la ruche, sa simplicité et la facilité de son « maniement doivent être en rapport avec les moyens « (pécuniaires, sans doute), l'intelligence, l'adresse, etc., « de l'apiculteur.

« La ruche compliquée et par conséquent dispendieuse « exige beaucoup d'adresse, d'intelligence et d'activité.

« Le succès, en apiculture, dépend moins de la forme « de la ruche que de son gouvernement.

« L'art apicole consiste principalement dans des popu- « lations fortes. »

Je ne sais de qui M. Hamet veut parler, quand il dit que certains apiculteurs font consister toute l'apiculture dans les ruches. Le lecteur, s'il a eu le courage de me lire jusqu'ici, a vu que les apiculteurs à rayons mobiles ne sont pas au nombre de ceux que M. Hamet veut atteindre. J'ajouterai seulement qu'avec une ruche aussi imparfaite que la ruche à hausse, tant exaltée par M. Hamet, il n'est pas possible de faire aussi vite ni aussi bien qu'avec une bonne ruche à cadres ; pas plus qu'avec une grossière charrue en bois on ne peut cultiver aussi vite et aussi bien qu'avec une charrue pour laquelle les lois de la physique et de la mécanique ont été consultées.

Quant au prix de la ruche, si l'apiculteur le trouve trop haut pour sa bourse, il fera comme la couturière qui, faute de deux cents francs pour acheter une machine à coudre, continuera à tirer son aiguille, il s'en passera ; ce qui ne prouvera pas qu'on devrait lui faire une machine à coudre pour le prix d'une aiguille, et ce qui n'empêchera pas tout le monde de reconnaître que la machine à coudre fait mieux et à meilleur marché que l'ouvrière la plus habile avec son aiguille.

Quant à l'intelligence et à l'adresse nécessaires pour la ruche à cadres, je les admets, ce qui ne prouve pas que dans les campagnes de notre belle France il n'y a pas beaucoup de gens assez intelligents et adroits pour apprendre à faire marcher un rucher à rayons mobiles. Car, voyons ! dans chaque village nous avons ou un maréchal, ou un charron, ou un menuisier, ou un bourrelier, ou un cordonnier, ou un boulanger, ou un boucher ; dans beaucoup de villages nous avons tous ces états réunis ; eh bien, il faut de l'intelligence pour chacun de ces états. Faire bien et bien poser un fer à cheval est certes difficile ; faire un bon collier qui ne blesse pas le cheval, un bon soulier qui soit juste et ne donne pas de cors aux pieds ; savoir bien acheter le grain et bien boulanger, etc. ; mais tous ces états demandent plus d'intelligence que l'apiculture, n'en déplaise à M. Hamet ! Donnent-ils autant de bénéfice ? M. Hamet dit : non ! quand il écrit : « Le plus souvent « l'apiculteur qui veut réussir doit exercer concurrem- « ment un métier qui l'aide à vivre ; car, on l'a dit avec « raison, l'apiculture est une industrie qui tend à devenir « de plus en plus accessoire. » (*Apiculteur*, 1871, p. 284.) Et moi je dis : oui...., oui mille fois oui, l'apiculture bien

conduite, *rationnellement conduite*, donne plus de béné-
fices qu'aucun des états que j'ai désignés ci-haut n'en
donne dans les villages. L'apiculteur a en outre moins de
soucis, moins de fatigue, moins d'assujettissement.

Pendant toute l'année 1872, mon fils, qui a 21 ans, a
soigné nos ruchers. Nous avions 125 ruchées, en deux
ruchers, à 6 kilomètres l'un de l'autre ; le résultat a été
douze cents kilog. de miel et soixante essaims. Un de nos
voisins, qui soigne ses ruches d'après les méthodes de
M. Hamet, avait 34 colonies au printemps ; il a obtenu
environ cinquante kilog. de miel et il n'avait plus à l'automne que 27 colonies, il en avait perdu ou réuni 7 (¹).
Je ne cite pas le produit de mon rucher comme chose
merveilleuse, car je n'ai jamais si peu récolté, l'année
ayant été mauvaise ; mais pour montrer la différence de
résultat entre les deux systèmes.

« L'art apicole consiste principalement dans des popula-
« tions fortes ». Sans doute ; mais il faut savoir les produire. Or, les ruches de M. Hamet ne sont pas assez
grandes pour cela, § 341, et il est obligé de recourir à des
moyens factices. Il écrit dans l'*Apiculteur* de 1872, page
295 : « Il est toujours facile de rendre ses ruchées popu-
« leuses, *en en diminuant le nombre* et en en réunis-
« sant les populations ; et quelle que soit la forme de la
« ruche, on trouve toujours moyen d'ajouter aux popula-

---

(1) Nous commençons la campagne de 1873 avec plus de 140 ruchées que
mon fils soignera. Le temps libre qui lui reste nous prouve que quatre cents
ruchées ne seront pas trop de besogne, dont cent près de notre habitation,
que je soignerai, et trois cents dans trois ruchers, dont mon fils aura la
charge. Nous fabriquons en outre toutes nos ruches, boîtes, cadres, etc.
Ces 140 colonies sont le croît, ou mieux une partie du croît, car j'en vends
chaque année, de deux colonies qui m'ont été données en 1864. Et M. Hamet
prétend que les abeilles ne prospèrent pas bien dans les ruches à cadre !....

« tions qu'elle loge. » Je corrige ce passage ainsi qu'il
suit, pour l'approprier à la culture des abeilles : Il est
toujours facile de rendre les ruchées populeuses sans en
diminuer le nombre et sans en réunir les populations ; il
ne s'agit que d'avoir dans toutes les ruches des mères
jeunes, fécondes, et de les forcer à pondre en leur donnant assez de rayons et de miel. Alors on atteindra sure-
ment le but cherché : beaucoup d'abeilles et grande récolte.

M. Hamet, qui avait eu la malencontreuse idée d'appeler la ruche à rayons mobiles un jeu de marionnettes, n'a
pas été mieux inspiré quand il a appelé le smélateur un
joujou inutile.

Sans doute, cette machine est un joujou inutile pour les
apiculteurs de l'école Hamet, comme le serait une voiture
pour un homme qui ne posséderait pas de cheval ; mais
pour les apiculteurs à cadres, la machine de Hruska
est un joujou très utile, un véritable joyau, et je ne don-
nerais pas la mienne pour dix mille francs si je ne devais
pas m'en procurer d'autre, car c'est un complément nécessaire, indispensable, à l'*apiculture rationnelle*.

Je sais que M. Hamet prétend qu'on peut s'en passer,
par le moyen des bâtisses, à la façon du Gâtinais. Je n'ai
pas parlé de ce système, je vais en dire un mot. Quand le
moment de la récolte arrive, l'apiculteur du Gâtinais retourne sa ruche et la coiffe d'une autre ruche contenant
une bâtisse vide, que les abeilles remplissent de miel.
Quand la récolte est finie, il fond les ruches, qui contiennent alors beaucoup de miel ; mais il est à remarquer
qu'il faut chaque année se procurer de nouvelles bâtisses
et même de nouvelles colonies, car ce système est plus

meurtrier que l'étouffage. M. Hamet nous apprend qu'un
élève du Gâtinais que, soit dit en passant, il a récompensé
d'une médaille à l'exposition de 1872, pour sa bonne culture, n'avait plus en automne que 80 débris viables de 160
bonnes ruchées qu'il possédait au printemps. M. Hamet
appelle cela une méthode rationnelle, *Apiculteur* de novembre 1872, p. 325, lig. 5 ; et 1871, p. 339 à 340.

Cette méthode, vantée par M. Hamet, n'enrichit pas
ceux qui l'emploient, car nous lisons dans l'*Apiculteur*
que la ville d'Etampes, qui avait dans ses environs jadis
jusqu'à 3,000 ruchées, maintenant n'a plus d'apiculteur
sérieux, quoique le pays ait conservé les mêmes res-
sources (*Apiculteur* de 1871, p. 287).

Malgré le dédain que M. Hamet a montré pour l'extracteur à force centrifuge (smélateur), la machine a fait
son chemin et se chargera tôt ou tard de repeupler les localités dépeuplées d'apiculteurs par les pratiques suran-
nées des immobilistes. Le Gâtinais a tout intérêt à adopter nos ruches et nos méthodes. Chaque ruchée qu'il récolte lui coûte d'achat 18 fr., plus la bâtisse dont il la
coiffe de 8 fr., 26 fr. en tout. Il fond en moyenne la moitié de ses ruchées et toutes ses bâtisses, ce qui lui coûte
17 fr. par ruche. Il est vrai qu'il en retire pour 6 fr. de
cire ; il ne lui en reste pas moins une perte ou manque de
profit de 11 fr. par ruche et par an. Il y a des apiculteurs
gâtinaisiens qui opèrent chaque année sur un millier de
ruches ; s'ils employaient le smélateur, ils ajouteraient à
leur bénéfice annuel, aujourd'hui presque nul, la jolie
somme de 11,000 fr. S'ils ne connaissent pas le smélateur, à qui la faute, sinon au professeur du Luxembourg
qui toujours leur a montré cette machine sous un jour dé-
favorable ?

§ 352. Certaines contrées ont une principale récolte spéciale, je veux parler de la récolte de miel de bruyère, qui ne peut se faire, ni au moyen du smélateur, car ce miel, heureusement c'est le seul, est tellement épais, qu'il ne peut sortir des alvéoles, ni dans les boîtes de verre que j'ai indiquées, § 231. Le miel de bruyère étant de troisième qualité, ne peut se vendre pour la table, et la dépense de ces boîtes ne serait pas compensée par le produit. Il est donc nécessaire que j'indique un moyen pour tirer de cette position le meilleur parti possible.

§ 353. La bruyère fleurit d'habitude en août, c'est-à-dire quand toutes les autres fleurs du printemps ont donné leur récolte, et lorsque les étouffeurs ont terminé leur triste besogne. L'apiculteur qui voudra tirer tout le parti possible de la bruyère, fera bien d'acheter des ruches destinées au soufre. S'il peut obtenir qu'on lui laisse enlever, quinze jours avant le moment de la livraison, les reines des ruchées qu'il aura dû acheter à l'avance, il fera bien de le faire, les ruchées seront plus lourdes de miel et auront moins de jeune couvain.

§ 354. Quand il aura pris livraison des ruchées, il les transportera chez lui, fera sortir leur population, § 142, qu'il enfermera jusqu'au soir ; il lèvera un à un chaque rayon et le passera à l'extracteur, puis l'attachera dans des cadres, § 233, qu'il mettra dans ses ruches en enlevant les diaphragmes et les entremêlant aux cadres qu'elles contiennent. Le soir venu, il mettra un linge étendu devant la ruche et y secouera les abeilles qui renforceront ainsi la population y existant déjà.

§ 355. Huit jours après, il peut conduire les ruches à la bruyère, après avoir sorti tout le miel qu'elles contiennent pour qu'il soit remplacé par du miel de bruyère, qui a moins de prix, mais qui vaut autant pour nourrir les abeilles.

§ 356. Il sera nécessaire qu'il prenne le soin de placer, entre les cadres garnis de rayons, au moins un cadre vide pour éviter l'essaimage. Il mettra au-dessus de la ruche une garniture de demi-rayons, comme il a été dit § 233. Ces demi-rayons, tous en cellules de mâles, devront être espacés de quarante-deux millimètres au moins, de centre à centre, pour qu'ils soient lourds, le plus lourd possible chacun.

§ 357. A mesure que la ruche se remplira, on lui enlèvera les rayons pleins pour les remplacer par d'autres vides ; on rapprochera toujours du centre les rayons les plus vides, pour stimuler les abeilles au travail ; par ce moyen, en certaines années d'abondance, il ne sera pas étonnant de voir des récoltes de 100 kilog. et plus par chaque ruchée, de miel recueilli pendant la bruyère.

Avant de ramener les ruchées de la bruyère, il faudra en sortir tous les rayons très lourds de miel, dans la crainte qu'en se brisant dans le trajet, ils n'entraînent la ruine de la colonie. On pourra les ramener à part, ou, ce qui serait encore mieux, les dépouiller de leur miel avant de les ramener.

§ 358. Voici comment devra se faire cette dépouille ou récolte : Avec un couteau recourbé, bien mince et bien tranchant, on coupera toutes les cellules jusqu'à deux ou trois millimètres de la cloison ou mur mitoyen qui sépare les cellules d'un côté à l'autre, on obtiendra ainsi tout le miel ; puis on fera lécher par les ruchées le miel restant, qui complètera leurs provisions d'hiver.

§ 359. Il est bien entendu qu'on aura dû laisser aux ruchées, à chacune, huit cadres ou au moins six ou sept, qu'on placera entre les diaphragmes lorsqu'on sera de retour à la maison.

§ 360. L'année suivante il ne sera plus nécessaire de se procuser des bâtisses, celles garnies de miel ainsi que les cloisons qu'on aura conservées, suffiront ; mais alors il ne sera plus besoin de laisser un cadre vide, la reconstruction des cellules coupées suffira pour empêcher l'essaimage.

§ 361. On devra faire tout son possible pour obtenir de fortes populations pour le moment de la récolte, comme nous l'avons conseillé pour toutes les autres récoltes principales. Si on trouvait des populations à ajouter aux colonies, peu de jours avant la récolte, il ne faudrait pas manquer l'occasion, en ayant soin de bien gorger de miel les populations à réunir et de supprimer d'avance la mère de la population à introduire, à moins qu'on ne soit sûr que la mère de celle-ci est plus jeune ou plus féconde ; dans ce cas, on emploierait l'eau sucrée aromatisée.

§ 362. Chaque pays a des récoltes qui lui sont spéciales, et il me serait impossible d'entrer dans tous les détails des circonstances qui peuvent se présenter ; c'est à l'apiculteur à employer son jugement pour adopter, aux conditions dans lesquelles il peut se trouver, les principes et les conseils que nous avons détaillés.

CONCLUSION.

Mon travail est terminé. Si je n'ai pas réussi à présenter en raccourci un guide bon à suivre, cela tient plus à mon incapacité qu'à ma bonne volonté, car j'ai fait de mon mieux. Ainsi que je l'ai dit, je n'ai rien avancé qui ne me soit prouvé ; et en mettant tout orgueil de côté, je puis dire que tout lecteur qui sera allé d'un bout à l'autre de ce volume, sans y trouver un enseignement nouveau pour lui, peut se considérer comme bon apiculteur, théoriquement parlant.

Avant de terminer, il me reste à donner un conseil à ceux de mes lecteurs qui voudront essayer la ruche à rayons mobiles, pour les prémunir contre le danger de trop de hâte. Pour devenir bon apiculteur, il n'est pas nécessaire de posséder des centaines de ruchées. Je dirai même qu'un homme chargé de suivre le travail d'un nombreux rucher ne peut que difficilement faire les études et les observations nécessaires à son progrès apicole ; tandis qu'un apiculteur ne possédant que quelques colonies peut trouver tout le temps, en les soignant, de les étudier, de faire des remarques, des vérifications sur les enseignements, les méthodes des auteurs, et que ces travaux sur une petite échelle l'instruiront insensiblement et le mettront à même de tirer facilement de son rucher un produit avantageux et certain, parce qu'il n'éprouvera aucun embarras à le soigner, quand même ce rucher s'élèverait par la suite à plusieurs centaines de colonies.

Car, pour être bon apiculteur, il ne suffit pas d'avoir
lu et bien compris un bon traité d'apiculture, d'avoir éta-
bli des abeilles dans des ruches reconnues les meilleures
dans l'état actuel de la science apicole, il faut encore savoir manier les abeilles, avoir un peu de pratique ; or,
cette pratique ne s'acquiert que par l'expérience.

A tout homme qui, même ayant des abeilles, n'a pas
encore conduit de ruches à cadres, comme à celui qui,
ayant des ruches à cadres, n'a pas su en tirer parti, je dirai : Commencez par une ou deux ruchées, trois au plus ;
puis, ne craignez pas de passer quelques heures par semaine à les étudier, à les ouvrir, à chercher la mère, à
vous habituer au maniement des cadres et surtout au bourdonnement des abeilles ; puis, quand vous serez bien
maître de vous, après un an ou deux d'étude dans les
livres et dans le rucher, si vous vous sentez de l'attrait
pour l'état d'apiculteur, augmentez successivement votre
rucher. Je vous promets le succès.

Il se perd chaque année des quantités immenses de
miel produit presque chaque jour dans les fleurs pendant
plus de la moitié de l'année, faute d'abeilles en nombre
suffisant pour le récolter, qui s'évapore sans retour et
sans bénéfice pour l'humanité. J'ai lu quelque part que la
quantité perdue ainsi en France pourrait alimenter la
Seine à Paris. C'est une hyperbole ; mais on peut juger,
par la quantité qu'un bon essaim récolte en une saison,
de l'immense valeur que l'humanité laisse échapper, quand,
avec quelques soins, elle ajouterait à son bien-être.

Faisons donc en sorte d'éviter une pareille perte, et
pour cela multiplions les abeilles en augmentant les soins
que nous leur donnons.

Est-il nécessaire, pour récolter tout le miel s'offrant à nous chaque matin et perdu sans ressource chaque soir, est-il nécessaire que chaque cultivateur, chaque habitant de la campagne, posséde un rucher plus ou moins bien gouverné? Je ne le pense pas. Je crois au contraire qu'un ou deux apiculteurs spéciaux, faisant de l'apiculture leur état, dans chaque localité, suffiraient amplement à récolter tout ou la plus grande partie du miel en état d'être recueilli.

Ne remarquons-nous pas que chaque état est mieux exploité par un homme spécial qui s'y adonne, y consacre son temps et ses peines, que par des centaines d'autres qui n'en font qu'un accessoire de leurs autres occupations.

Il en est de même des abeilles ; leurs soins exigent des connaissances spéciales, des aptitudes, des inclinations que le premier venu ne possède pas. C'est donc à tort qu'on suppose qu'il suffit, pour avoir des ruches et du miel, de posséder l'emplacement, le capital nécessaires, quelques notions plus ou moins justes, plus ou moins complètes. Avec un tel bagage, on peut s'appeler propriétaire de ruches, mais non apiculteur. On pourra réussir, récolter du miel et des essaims ; quant à avoir dans ce rucher une ressource aussi certaine que dans toute autre culture, et rapportant autant, il n'y faut pas compter. Une mauvaise année emportera toute la récolte et parfois même tout le rucher.

Ce que je dis ci-dessus ne s'adresse pas aux amateurs qui font de l'apiculture par amour des abeilles, mais à ceux qui, sans cette qualité, veulent des ruches pour avoir du miel. Tout homme qui aime les abeilles, s'il veut s'instruire et les soigner, est toujours certain de la réussite.

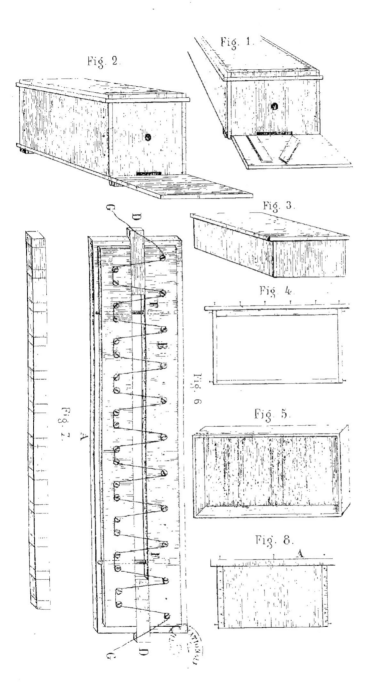

Fig. 1.

Fig. 2.

Fig. 3.

Fig. 4.

Fig. 5.

Fig. 6.

Fig. 7.

Fig. 8.

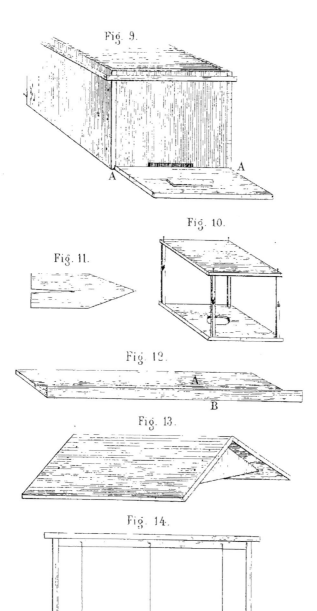

Fig. 9.

Fig. 10.

Fig. 11.

Fig. 12.

Fig. 13.

Fig. 14.

TABLE ALPHABÉTIQUE

PAR PARAGRAPHES ET PAR PAGES

— 6 —

Chaumont, typ. veuve Miot-Dadun.

Imprimé en France
FROC031241081119
22631FR00008B/112/P